BASIC MASTER SERIES **528**

はじめてのExcel 2021

[著] 村松 茂／田中綾子／石塚亜紀子

秀和システム

本書の使い方

- 本書では、初めてExcel2021を使う方や、いままでExcelを使ってきた方を対象に、Excelの基本的な操作方法から、ビジネスなどに役立つ本格的な文書作成、見栄えを良くして伝わる文書にするための編集・各種設定から印刷までの一連の流れを理解しやすいように図解しています。また、WordやPowerPointなどとの連携も丁寧に図解しました。
- Excelの機能の中で、頻繁に使う機能はもれなく解説し、本書さえあればExcelのすべてが使いこなせるようになります。特に便利な機能や時短、効率アップに役立つ操作は、を豊富なコラムで解説していて、格段に理解力がアップできようになっています。
- Microsoft365にも完全対応しているために、最新の操作方法を本書の中で解説しています。

紙面の構成

練習用サンプルファイル
このセクションの解説で使用したデータと同じものを用意しました。ダウンロードの方法は「練習用サンプルファイルの使い方」ページに記載しています。

手順解説動画が観られる
このセクションの解説を理解しやすい動画にしました。観たい場合は、スマートフォンでその場でQRコードから観られます。
（※QRコードがないセクションがあります）

大きい図版で見やすい
手順を進めていく上で迷わないように、できるだけ大きな図版を掲載しています。また、図版の間には、矢印を掲載し次の手順が一目でわかります

丁寧な手順解説
図版だけの手順説明ではわかりにくいため、図版の右側に、丁寧な解説テキストを掲載し、図版とテキストが連動することで、より理解が深まるようになっています。逆引きとしても使えます。

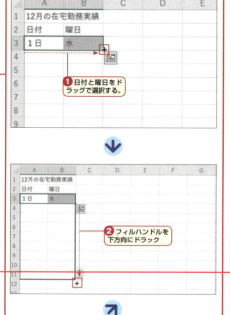

本書で学ぶための3ステップ

ステップ1：操作手順全体の流れを見る
本書は大きな図版を使用しており、ひと目で手順の流れがイメージできるようになっています

ステップ2：解説の通りにやってみる
本書は、知識ゼロからでも操作が覚えらるように、手順番号の通りに迷わず進めて行けます

ステップ3：逆引き事典として活用する
一通り操作手順を覚えたら、デスクの傍に置いて、やりたい操作を調べる時に活用できます。また、豊富なコラムが、レベルアップに大いに役立ちます

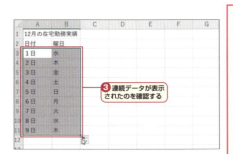

完成　日付と曜日が表示される
日付と曜日が正しく連続データで表示されたことを確認します。

豊富なコラムが役に立つ
手順を解説していく上で、補助的な解説や、時短が可能な操作、より高度な手順、注意すべき事項など、コラムにしています。コラムがあることで、理解が深まることは間違いありません

データを素早く、正確に入力しよう

連続データをせずコピーする場合

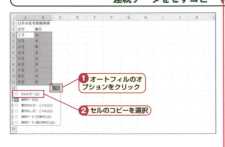

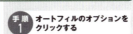
手順1　オートフィルのオプションをクリックする
セルの右下に表示される四角のアイコン、オートフィルのオプションをクリックします。

メモ　さまざまなオートフィル
オートフィルにはここで紹介した以外にも、いくつか機能があります。特に書式のみコピー、書式なしコピーは便利な機能なので、必要に応じて使えるよう、そんな便利な機能があることを、覚えて置きましょう。

コラムの種類は全部で6種類

 メモ　補助的な解説をしています。最低限知っておくべき事項などをシンプルに説明しています

 便利技　これを知っておけば、ビジネスなどに役立つノウハウを中心に、多角的な内容の解説です

 注意　ミスをしないためのポイントとなることや、勘違いしやすい注意点などを解説しています

 時短　いつも仕事が驚きの時短になるノウハウを中心に、効率アップ術も網羅しています

 裏技　意外と知らない操作方法や、一度覚えると使いこなしたくなる高度なテクニックの解説です

 完成　手順を進めていった結果をわかりやすく説明しています。これがあると迷うことはありません

裏技　さまざまな連続データを便利に使おう
連続データにはさまざまなパターンが最初から登録されています。次の章でパターンを登録する方法を学んでいきます。

はじめに

　Excel 2021を含むOffice 2021は2021年10月5日に発売されました。Officeの発売は2010年以降3年周期でした。今回は1年前倒しされた形になりましたが、ほぼ想定内です。これはWindows 11と発売と合わせたためと考えられます。Windows 10が最終バージョンとされていたので、Windows 11の発売は想定外でした。

　ただExcel、Word、PowerPoint、Outlookはサブスクリプション版のMicrosoft 365（旧Office 365）を構成するデスクトップアプリという色合いが年々濃くなっています。永続ライセンス版のOffice 2021が発売されたため、今回は年号を冠したOffice製品が残りましたが、もしかすると数年後に消えてしまうかもしれません。

　Microsoft 365に含まれるExcel for Microsoft 365は常に更新されているため、Excel 2021の発売を待たずして、おおよその機能は予想できましたが、新しい関数を含めいくつか新機能も搭載されていますが、ほぼExcel 2019を踏襲しています。また外観はWindows 11に合わせてあっさりしたウィンドウの背景に変わりました。

　2010、2013、2016、2019と「はじめてのExcel xxxx」を一人で執筆してきましたが、今回は新たに二人の著者が加わっています。編集部主導で構成された本書は新しい顔を見せてくれるはずで、私もそれを期待しています。

　最後になりましたが、本書がExcel 2021およびExcel for Microsoft 365のユーザーに少しでも役に立つことを祈るばかりです。

2022年1月

村松 茂

CONTENTS

目次

本書の使い方 …………………………………………………………… 2
はじめに ………………………………………………………………… 4
手順動画を観る方法／練習用サンプルファイルの使い方 …… 17
パソコンの基本操作を確認しよう ………………………………… 18
書籍内容への問い合わせ方法 ……………………………………… 22

0章　Excel2021の新機能　　　　　　　　　　　　23

01 ● Excel 2021とExcel for Microsoft 365の違い ……………24
本書で使用するExcel 2021
Excel 2021のバージョン情報
Excel for Microsoft 365（2021年11月現在）のバージョン情報
本来のバージョン番号とビルド番号

02 ● Excel 2021のこれが新機能 …………………………………26
視覚的な更新
共同編集
XLOOLUP関数
LET関数
XMATCH関数
動的な配列を可能にする6つの関数（詳細はセクション03を参照）
シートビュー
アクセシビリティのチェック
複数のシートを同時に再表示
ストック関数
アプリウィンドウ上中央部に配置された検索ボックス
OpenDocument形式（ODF）1.3のサポート

03 ● Excel2021で追加された新しい関数 ………………………30
XLOOKUP関数
LET関数
XMATCH関数
動的な配列を可能にする6つの関数

04 ● Word/PowerPointとの連携 …………………………………32
単純にコピーして貼り付ける
リンクオブジェクトとして貼り付ける

1章　Excel2021の基本操作を学ぼう　　33

- 05 ● Excelとは？ ……………………………………………………34
  - Wordと対照したExcelの特徴
  - セルは単独計算でもできるマジックボックス
- 06 ● Excelの画面構成 ………………………………………………36
  - Excelの画面構成を詳しく見る
- 07 ● Excelのタスクバーとスタートへのピン留め ………………38
  - Excelをタスクバーとスタートにピン留めする
- 08 ● Excelの起動と終了 ……………………………………………40
  - Excelを開く
  - Excelを閉じる
- 09 ● 既存のファイルの開き方 ………………………………………42
  - 既存のファイルを開く
- 10 ● ファイルの保存 …………………………………………………44
  - 名前を付けてファイルを保存する
- 11 ● Excelの表示方法 ………………………………………………46
  - 標準ビュー
  - 改ページプレビュー
- 12 ● Excelのオプション ……………………………………………48
  - [Excelのオプション] を開く

2章　表作成の基本を学ぼう　　49

- 13 ● 表を作成する手順 ………………………………………………50
  - 基本的な要素を入力して表を作る
- 14 ● セルの選択 ………………………………………………………52
  - 隣接するセルを選択する
  - マウスでセルを選択する
  - セル番地からセルを選択する
  - 複数のセルを選択する
- 15 ● 表タイトルの入力 ………………………………………………56
  - 表タイトルのスタイルを変更する
  - 表タイトルを太字にする
  - 表タイトルのフォントの色を変更する

表タイトルのフォントサイズを拡大する
　　　表タイトルのフォントを変更する

16 ● 数値や日付の入力 …………………………………… 60
　　　数値を入力する
　　　日付を入力する

17 ● データの修正 ………………………………………… 62
　　　セルに上書きして修正する
　　　セルの値の一部を修正する

18 ● 列の幅や行の高さの調整 …………………………… 64
　　　列の幅を自動調整する
　　　行の高さを自動調整する

19 ● セルの切り取り / コピーと貼り付け ……………… 66
　　　各書式で入力したセル
　　　セルを切り取る
　　　セルをコピーする
　　　セルを貼り付ける
　　　数式として貼り付ける
　　　数式として数値の書式を保持して貼り付ける
　　　元の書式を保持して貼り付ける
　　　罫線なしで貼り付ける
　　　元の列幅を保持して貼り付ける
　　　行と列を入れ替えて貼り付ける
　　　値として貼り付ける
　　　値として数値の書式を保持して貼り付ける
　　　値として元の書式を保持して貼り付ける
　　　書式設定のみを貼り付ける
　　　リンクとして貼り付ける
　　　図として貼り付ける
　　　リンクされた図として貼り付ける
　　　書式のコピーと貼り付け

20 ● 行や列の追加 / 削除 ………………………………… 76
　　　行を挿入する
　　　列を挿入する
　　　行を削除する
　　　列を削除する

21 ● 行または列の非表示 / 再表示 ……………………… 80
　　　行を非表示にする

列を非表示にする
　　　非表示の行を再表示する
　　　非表示の列を再表示する

22 ● セルの挿入と削除 …………………………………………… 84
　　　セルを挿入する
　　　セルを削除する

23 ● セルのコメント追加 ………………………………………… 86
　　　セルにコメントを追加する
　　　セルのコメントを表示する

24 ● データの検索と置換 ………………………………………… 88
　　　データを検索する
　　　データを置換する

25 ● 操作を元に戻す・やり直す ………………………………… 90
　　　ワークシートに変更を加える
　　　操作を元に戻す
　　　操作をやり直す

3章　データを素早く、正確に入力しよう　　94

26 ● 入力を効率化する機能を使う ……………………………… 94
　　　オートコレクトを使う
　　　オートコレクトを修正する
　　　オートコレクトを削除する
　　　解除すると逆に便利なオートコンプリート

27 ● セルのコピーはドラッグ操作でやる ……………………… 100
　　　フィルハンドルでコピーする
　　　フィルハンドルをダブルクリックする

28 ● 日付や曜日の連続データの自動入力 ……………………… 102
　　　オートフィルを使って連続データを入力する
　　　連続データをせずコピーする場合

29 ● 支店名や商品名を自動入力する …………………………… 104
　　　連続データにマイルールを登録しておく
　　　元々あったデータを使ってリストを作成する

30 ● 入力方法をパターン化して自動入力するには …………… 110
　　　フラッシュフィルを使って氏名を1つのセルに入力する

31● 入力時のルールを決めておくと便利 ……………………………… 112
　　入力規則を使って入力を制限する
　　入力規則を解除する
　　入力規則のメッセージをオリジナルにする

32● ドロップダウンリストを作ってデータを素早く入力するには … 116
　　入力規則のリストを使って、データを素早く正確に入力する
　　元々あるリストを、ドロップダウンリストにする
　　ドロップダウンリストを追加する

33● 複数データをコピーしておくと便利 …………………………… 122
　　クリップボードを使う

4章　自動計算と関数の基本を学ぼう　　125

34● 計算式の基本 ………………………………………………………… 126
　　&を使って複数のセルを1つにする

35● 他のセルのデータを参照し表示させる ……………………… 128
　　＝（イコール）を使って指定したセルを別のセルに表示させる
　　数式バーに直打ちで計算式を入力してみる

36● 四則演算の計算式 ………………………………………………… 130
　　足し算をやってみる
　　引き算をやってみる
　　掛け算をやってみる
　　割り算をやってみる
　　四則演算が混じった式をやってみる

37● 計算式がエラーになる場合 ……………………………………… 136
　　＃VALUE!を修正する
　　＃VALUE!を修正してみようREF!を修正する

38● 計算式のコピー …………………………………………………… 138
　　計算式を普通にコピーする
　　計算式を普通にコピーしてエラーが出る場合には

39● 計算式のコピーでエラーになる理由 ………………………… 142
　　絶対参照を使ってみる
　　複合参照を使ってみる

40● 関数の基本 ………………………………………………………… 150
　　関数を検索してみる

41 ● 合計の表示 ……………………………………………………… 152
　　　必ず覚えておきたい基本の関数「SUM」を使ってみる

42 ● 平均の表示 ……………………………………………………… 154
　　　AVERAGE関数を使って平均を出す
　　　RANK関数で順位をつける

43 ● 氏名にフリガナを振る ………………………………………… 159
　　　PHONETIC関数を使ってみる
　　　フリガナを修正する

44 ● 数値の四捨五入 ………………………………………………… 161
　　　ROUND関数を使って四捨五入する

45 ● 指定した条件に合うデータの判定 …………………………… 163
　　　IF関数を使って条件によって別の結果を表示させる

46 ● 商品番号に対応する商品名や価格の表示 …………………… 165
　　　【新機能】XLOOKUP関数を使ってみる

5章　表のデザインを学ぼう　　　167

47 ● 書式の基本 ……………………………………………………… 168
　　　セルの書式設定の表示方法

48 ● テーマを使ってカラフルにしてみよう ……………………… 170
　　　テーマを選ぶ
　　　テーマを選ぶ時の注意点とその対処方法
　　　配色だけを変更する
　　　フォントだけを変更する

49 ● 文字やセルに飾りを表示させる ……………………………… 174
　　　セルに色を付ける
　　　文字の色を変える
　　　文字を太字にする
　　　文字のフォントを変更する
　　　好きな色で染める
　　　センスのいい見やすい表はどう配色したらいいか

50 ● 文字配置の整え方 ……………………………………………… 180
　　　表に合わせて、中央寄せをする
　　　右寄せをしてみる

- 51 ● セルを結合してまとめる……………………………………… 182
  - セルを結合してまとめてみる
  - セルの結合を解除してみる
- 52 ● 表に罫線を引く方法…………………………………………… 184
  - 表に罫線を引く（ボタン編）
  - 罫線を引く（ダイアログ編）
  - 罫線を消す
  - 消しゴムを使って罫線の一部分だけを消す
- 53 ● 表示形式の基本………………………………………………… 190
  - 「表示形式」を表示する
  - 表示形式の種類
- 54 ● 桁区切りカンマのつけ方……………………………………… 192
  - カンマで桁を区切る
  - 表示形式を使って、より細かな桁区切り設定をする
- 55 ● 日付の表示方法を変更する…………………………………… 196
  - 簡単一発「西暦○年○月○日」に表示を変更する
  - 日付を元号で表示するよう変更する
  - さらに曜日も自動で表示させる
- 56 ● 書式だけコピーして使う……………………………………… 202
  - 書式をコピーして別の表を簡単に装飾する
  - 書式や関数をコピーしたくない場合の値の貼り付け方法
  - 貼り付けには他にもさまざまな種類がある

6章　わかりやすいExcelデータの作り方　　207

- 57 ● データを区別する機能………………………………………… 208
  - 条件付き書式とスパークラインを知る
- 58 ● セルの内容で自動的に書式を設定させる…………………… 210
  - セルに設定したい条件と書式を設定する
- 59 ● 指定した文字を含むデータを自動で目立たせる…………… 212
  - 強調したい文字を含むデータに条件付き書式を設定する
- 60 ● 指定した期間の日付を自動で目立たせる…………………… 214
  - 指定した期間の日付を強調させる

- 61 ● 一定以上の値を自動で目立たせる ……………………………216
  - 指定の値より大きいセルの書式を変更する
- 62 ● 数値の大きさを表すバーの表示 ………………………………218
  - データバーを表示させる
- 63 ● 数値の大きさによって自動で色分けする ……………………220
  - カラースケールを表示させる
- 64 ● 数値の大きさによってアイコンを付ける ……………………222
  - アイコンセットを表示させる
- 65 ● 条件付き書式の設定の解除 ……………………………………224
  - 条件付き書式を解除する
- 66 ● 数値を棒の長さや折れ線で表現させる ………………………226
  - スパークラインを使う

7章　データをグラフにする基本操作　230

- 67 ● Excelで作れるグラフについて ………………………………230
  - データがグラフの要素になることを理解する
- 68 ● 基本的なグラフ …………………………………………………232
  - データの入っているシートにグラフを挿入する
- 69 ● グラフの修正 ……………………………………………………234
  - グラフを見やすいように修正する
- 70 ● 棒グラフの作成 …………………………………………………236
  - 棒グラフを作り整える
- 71 ● 折れ線グラフの作成 ……………………………………………238
  - 折れ線グラフを作り整える
- 72 ● 円グラフの作成 …………………………………………………240
  - 円グラフを作り整える

8章　簡単なデータの整理と表示方法　241

- 73 ● リストを作ってデータを整理させる …………………………242
  - 必ず他と被らないキーとなる列を作る
  - できれば氏名は苗字と名前で分ける

横に長いデータよりも縦に長いデータのほうが見やすい
必ず作ろう！備考欄！
テーブルとして書式設定してみる
テーブルの解除方法も知っておく

74 ● カンマ区切りのテキストファイルの開き方 …………………248
カンマ区切りのテキストファイルを開く

75 ● 項目名が常に見えるように画面を固定させる ……………………250
ウインドウ枠を固定する
ウインドウ枠の固定を解除する

76 ● 画面を分割して先頭と末尾を表示 ………………………………252
画面の分割方法を覚える
画面の分割を元に戻す方法を覚える

77 ● 必要ない行を隠して集計列のみ表示させる ………………………254
グループ化して、必要な列だけ表示する
グループ化を解除する

78 ● データの並び替え ……………………………………………256
データを降順昇順で並び替える
並び替えの優先順位を指定する
並び替えの優先順位を入れ替える
ユーザー設定のリストを使用する
レベルの削除をする

79 ● 条件が一致するデータだけを表示する ……………………………262
フィルターを設定する
データを絞り込む
フィルターの設定を解除する
特定の文字を持つデータを抽出する
色がついたセルを含む行を表示する
フィルターの解除

9章　データを集計して活用する　　　267

80 ● データを集計するさまざまな機能 ………………………………268
テーブルとは？
ピボットテーブルとは？
ピボットグラフとは？

81 ● 表のテーブルへの変換 ･･････････････････････････････271
　　　セル範囲をテーブルに変換する

82 ● テーブルのデータ並び替え・抽出 ･･････････････････273
　　　データを並び替える
　　　データを抽出する

83 ● テーブルの表示方法の変更 ････････････････････････275
　　　テーブルスタイルを見直す

84 ● テーブルのデータの集計 ････････････････････････････277
　　　テーブルに集計行を追加する

85 ● ピボットテーブルの作成 ････････････････････････････279
　　　ピボットテーブルを作成する

86 ● ピボットテーブルの集計方法の変更 ･･････････････････281
　　　フィールドを追加する
　　　フィールドの入れ替え

87 ● ピボットテーブルの集計期間の設定 ･･････････････････283
　　　タイムラインを追加するには

88 ● ピボットグラフの作成 ･･････････････････････････････285
　　　ピボットグラフを作成する

10章　Excelブックとワークシートを使いこなす方法　287

89 ● ブックとシートの基本 ････････････････････････････288
　　　ブックとワークシートの関係
　　　ブックはExcel標準のファイル形式
　　　ブックは複数のシートを格納できる
　　　かつてはワークシートとグラフシート

90 ● シートの追加と削除 ･･････････････････････････････290
　　　シートを追加する
　　　シートを削除する

91 ● シート名や見出しの色の変更 ･････････････････････292
　　　シート名を変更する
　　　シートの見出しの色を変更する

- 92 ● シートの移動とコピー……………………………………294
   - シートを移動する
   - シートをコピーする
- 93 ● シートの非表示と再表示…………………………………296
   - シートを非表示にする
   - 非表示のシートを再表示する
- 94 ● 複数のシートの並列表示…………………………………298
   - 複数のシートを並べて表示する
- 95 ● 複数のシートをまとめて編集……………………………300
   - 複数のシートの同じ番地のセルをまとめて編集する
- 96 ● 複数のブックの切り替え…………………………………301
   - ブックのアクティブウィンドウを切り替える
- 97 ● 複数のブックの並列表示…………………………………302
   - 複数のブックを並べて表示する
- 98 ● ブックのパスワード保護…………………………………303
   - ブックをパスワード保護する
   - パスワード保護されたブックを開く
   - パスワード保護を解除する

11章　表やグラフを印刷する　　307

- 99 ● 印刷前にやっておくべき設定の基本……………………308
   - 出力の考え方
   - 印刷プレビューを表示する
   - 改ページプレビューを表示する
   - ページレイアウトビューを表示する
   - 出力イメージを把握する
- 100 ● 印刷の向きと用紙のサイズ………………………………310
   - 印刷の向きを変更する
   - 用紙サイズを変更する
- 101 ● 余白の調整…………………………………………………312
   - 余白を変更する
   - 余白をユーザー設定する

102 ● ヘッダーとフッターの設定 ……………………………………314
ヘッダー/フッターを設定する

103 ● 改ページ位置の調整 ……………………………………………316
改ページ位置を変更する

104 ● 表のタイトル行/列を全ページに印刷 ………………………318
タイトル行/列を設定する

105 ● シートを1ページに印刷 ………………………………………320
シートを1ページに印刷する

106 ● 印刷範囲の設定 …………………………………………………322
印刷範囲を設定する
印刷範囲の設定をクリアする

107 ● グラフの印刷 ……………………………………………………324
グラフのみの印刷をする

12章　自分が使いやすいようにカスタマイズ　325

108 ● クイックアクセスツールバーをカスタマイズ ……………326
クイックアクセスバーを表示する

109 ● リボンの表示をカスタマイズ ………………………………328
リボンの表示をカスタマイズする

110 ● Excelに追加できるオブジェクト …………………………330
ファイルをリンクオブジェクトとして挿入する

111 ● ブックの読み取り専用設定 …………………………………332
ブックを読み取り専用にする

ローマ字入力かな対応表 ……………………………… 334
手順項目索引 …………………………………………… 336
用語索引 ………………………………………………… 339

手順解説動画を観る方法

YouTubeで動画が観られます

- パソコンからは下記のURLからサイトにアクセス
  https://www.shuwasystem.co.jp/support/7980html/6661.html
- スマートフォン・タブレットからは、下記のQRコードからサイトにアクセス

- サイトの動画フォルダーにあるテキストファイルに表示されたYouTubeのURLから動画が観られます

弊社のYouTubeチャンネル

練習用サンプルファイルの使い方

ファイルをダウンロードします

- パソコンからは下記のURLからサイトにアクセス
  https://www.shuwasystem.co.jp/support/7980html/6661.html
- スマートフォン・タブレットからは、下記のQRコードからサイトにアクセス

手順❶ 「はじめてのExcel 2021」サポートページが開きます
手順❷ サンプルファイルが入ったフォルダーダウンロードします
手順❸ ダウンロードしたフォルダーは圧縮(zip)されていますので、アプリを使って解凍します
手順❹ 解凍後は、練習用サンプルファイルが活用できるようになります
　　※ サンプルファイルのフォルダーには、章番号とセクション番号が付けられています
　　※ サンプルファイルがないセクションもあります
手順❺ さっそくサンプルファイルを開いて練習用として使ってみましょう

（注意）
ダウンロードしたデータの利用、または利用したことで関連して生じる、データ及び利益についての被害、すなわち特殊なもの、付随的なもの、間接的なもの、および結果的に生じたいかなる種類の被害、損害に対しての責任は負いかねますのでご承知ください。また、ホームページの内容やデザインは、予告なく変更される場合があります。ダウンロードしたデータの複製や商用利用などのすべての二次的使用は固く禁じられています。

パソコンの基本操作を確認しよう

はじめに、お使いのパソコンがどのタイプにあたるか確認してください。機能的に変わりはありませんが、デスクトップ型の場合は「マウス＋キーボード」、ノート型の場合は「タッチパッド＋キーボード」または「スティック＋キーボード」で操作することになります。タブレット型や一部のノート型ではタッチパネルで操作する機種もあります。タッチパネルの操作はp.22を参照してください。

●マウス操作

●マウスカーソル

画面上の矢印をマウスカーソル（ポインタ）といいます。マウスの動きに合わせて、画面上で移動します。

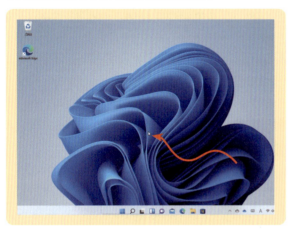

●マウス

軽く握るような感じでマウスの上に手のひらを置き前後左右に動かします。

●トラックパッド

マウスポインタを移動させたい方へパッド部分を指でなぞります。タッチパッドともいいます。

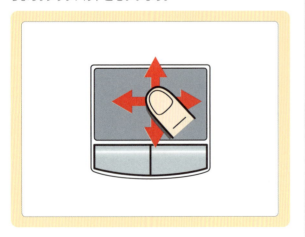

●スティック

こねるようにスティックを押した方へマウスポインタが移動します。

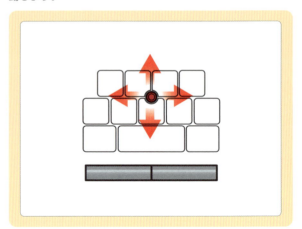

●ポイント

目標物の上にマウスポインタをのせることを「ポイント」といいます。

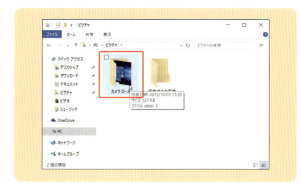

●クリック

マウスの左ボタンをカチッと1回押すことを「クリック」といいます。

●ダブルクリック

マウスの左ボタンを素早くカチカチッっと2回押すことを「ダブルクリック」といいます。

●右クリック

マウスの右ボタンをカチッと1回押すことを「右クリック」といいます。

●ドラッグ

マウスのボタンを押したままの状態でマウスを動かすことを「ドラッグ」といいます。

●ドラッグ&ドロップ

マウスのボタンを押したままの状態でマウスを動かし、目的の位置でボタンを離すことを「ドラッグ&ドロップ」といいます。

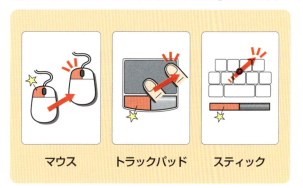

●手を使ったタッチ操作

•タップ

▲画面をタップするとタップした項目が開く。マウスのクリックに相当。

•ダブルタップ

▲画面を連続してタップする。マウスのダブルクリックに相当。

•フリック

▲画面を指で払う。フリックした方向に画面がスクロール。

•プレスアンドホールド（長押し）

▲指を押しつけて1.2秒間そのままにする。マウスの右クリックに相当。

● Windows パソコンで使うキーボードと主なキー

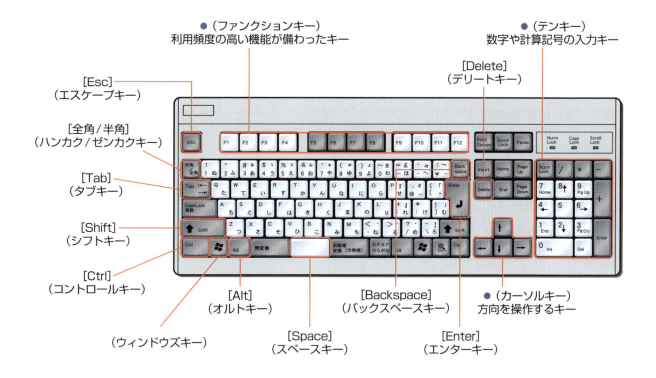

● Windows IME の日本語入力

　キーボードの [全角/半角] キーで、全角の日本語と半角の英数字が切り替わります。タスクトレーのIMEインジケーターが [あ] なら全角の日本語が入力できます。[A] なら半角の英数字です。IMEインジケーターをマウスでクリックすれば、半角のカナや全角カタカナも選べます。

キーボードの [全角/半角] キーを押してタスクトレーのIMEインジケーターを**あ**にする

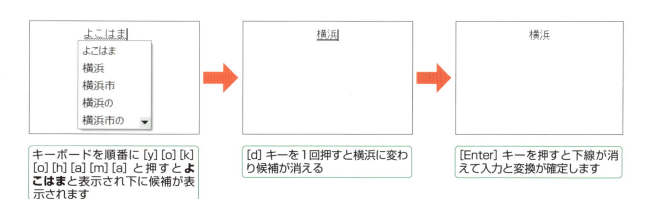

キーボードを順番に [y] [o] [k] [o] [h] [a] [m] [a] と押すと**よこはま**と表示され下に候補が表示されます

[d] キーを1回押すと横浜に変わり候補が消える

[Enter] キーを押すと下線が消えて入力と変換が確定します

書籍の内容へのお問い合わせ方法

本書に掲載されている手順解説に従って操作をして紙面と結果が違う場合や、紙面と同じ操作ができない場合は、下記の内容を記載し、問い合わせフォーム・電子メール・FAX・郵便での問い合わせができます。

お問い合わせ時の必要事項のご案内

必要事項① 書名の明記
　必ず正確な書名を明記してください。本書は「はじめてのExcel 2021」です

必要事項② 問い合わせするページの明記
　問い合わせしたいページ番号と手順内容を明記してください。ページ番号がないと、本書に関する問い合わせと判断できずサポート外ということでご回答ができません

必要事項③ ご使用環境の明記
　読者の皆様が使用しているパソコン環境を明記してください。必要な項目として、OS(例:Windows11/10など)やエディション(例:Home/Proなど)を正確に明記してください。アプリケーションの場合も同じようにバージョン(例:Excel2021/2019など)を正確に記載してください。この記載がない場合は、ご回答ができないことがあります

必要事項④ トラブル現象の詳細情報
　目の前で発生しているトラブルに至るまでの操作手順の情報、エラーメッセージはどのような表示なのかなども正確にお知らせください

問い合わせフォームの記入例

弊社ホームページ(https://www.shuwasystem.co.jp)に下記のような「問い合わせフォーム」がございますのでご利用ください。

問い合わせ先の情報など

電子メール・FAX・郵便などで問い合わせする場合は、下記の宛先へお願いいたします
【住所】　〒135-0016 東京都江東区東陽2-4-2新宮ビル2F
　　　　　株式会社秀和システム
　　　　　秀和システムサービスセンター宛
【FAX】　03-6264-3094
【電子メール】　s-info@shuwasystem.co.jp

(お断り)
問い合わせ内容は、弊社発行の書籍に対する内容のみとなりますので、ご了承ください。書籍以外の問い合わせにつきましては、サポート外となり回答ができません。また、ご回答ができるまでの時間は、問い合わせ内容によって変わります。また、お急ぎのお問い合わせについては、対応ができませんので、ご了承ください。

0章

Excel 2021の新機能

Excel 2021はWindows 11と一体感のあるデザインに変更され、共同編集の強化、新関数の導入など新たな機能が搭載されました。サブスクリプション版のMicrosoft 365に含まれるExcel for Microsoft 365は随時更新されていて、そのため永続版のExcel 2021は、Excel 2019発売後にExcel for Microsoft 365で更新され差分が搭載される形になります。永続版とサブスクリプション版の違いを理解して、新機能の内容を把握しましょう。

SECTION 01

キーワード▶Excel2021／Microsoft365

Excel 2021とExcel for Microsoft 365の違い

本書のタイトルでもExcel 2021という表記していますが、これは永続版のExcel 2021とサブスクリプション版のExcel for Microsoft 365（Excel 2021相当）を含めてそう呼んでいます。最初にそうする事情を説明します。

本書で使用するExcel 2021

　本書で使用するExcel 2021は、永続版の「Excel 2021」とサブスクリプション版の「Excel for Microsoft 365」（Excel 2021相当）を総称しています。
　永続版のExcel 2021は単品製品と、Office Personal 2021、Office Home & Business 2021に含まれるものです。
　一方、サブスクリプション版のExcel for Microsoft 365はMicrosoft 365 Personalに含まれるもので、単品製品としては存在しません。Microsoft 365 Personalは常に新しいバージョンのアプリを使用できるので、Excel 2019の発売時はExcel 2019相当、Excel 2021発売時はExcel 2021相当となります。
　全世界的にはサブスクリプション版に移行しているので、「Excel for Microsoft 365」（Excel 2021相当）ユーザーの方がExcel 2021ユーザーをはるかに上回ります。
　ではなぜExcel for Microsoft 365（Excel 2021相当）をExcel 2021と呼ぶかというと、2021年11月時点でExcel 2021とExcel for Microsoft 365のバージョ番号、ビルド番号が完全に一致しているからです。

Excel 2021のバージョン情報

▲Excel for Microsoft 365の［アカウント］に表示されるバージョン情報。［Excelのバージョン情報］をクリックすると、さらに詳細なバージョン情報が表示されます

Excel for Microsoft 365（2021年11月現在）のバージョン情報

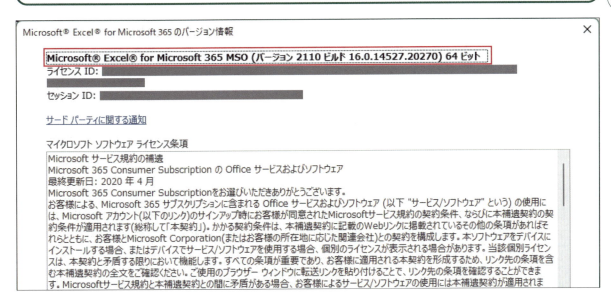

本来のバージョン番号とビルド番号

　Excel 2021とは製品名であり、正式なバージョン番号と内部バージョン番号を含むビルド番号があります。Excel 2021とExcel for Microsoft 365の最新バージョンはいずれも2021年11月の時点で、「バージョン2110 ビルド 16.0.14527.20270」となっています。そのため機能的にはほぼ同といっていいでしょう。

　実はExcel for Microsoft 365の方が1TBのOneDriveが使用できる前提なので、共同編集など一部では上位の機能が使用できます。さらに今後更新を繰り返していくと、機能的にはExcel 2021から次期バージョンのExcel 2024？に近づいていくことになります。

　なおビルド番号の最初の16.0は内部バージョンで、Excelのシートで関数を入力すると、こちらの内部バージョンが表示されます。ちなみにExcel 2016以来、内部バージョン16.0は更新されていません。

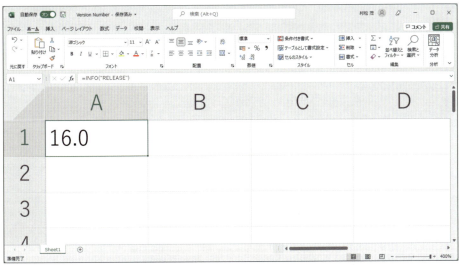

▲セルに「=INFO("RELEASE")」と入力すると、内部バージョンが返されます

SECTION キーワード▶Excel2021 新機能

02 Excel2021のこれが新機能

Excel 2021の新機能としては、永続版のExcel 2019発売以降、サブスクリプション版のExcel for Microsoft 365で先行導入された機能が追加されました。共同編集の強化と新しく採用されたXLOOKUP、LET、XMATCHなどの関数が注目されます。

視覚的な更新

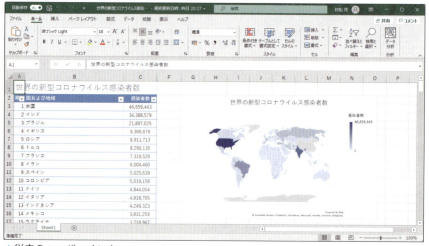
▲従来のユーザーインターフェース

デザイン的には、タイトルバーのアプリ固有の色が廃止され、アプリウィンドウ全体と同化しました。ただ各アプリ固有の色はアクセントカラーとして残っています。全体的には、同時発売されたWindows 11となじむクリーンでソフトな印象になりました。

また既定ではクイックアクセスバーが非表示になりました。既定で配置された[自動保存]と[保存]は元の位置に残こり、[元に戻す]と[やり直す]は[ホーム]タブのコマンドに移動しました。なお設定を変更すると、クイックアクセスバーはリボンの下に配置されます。

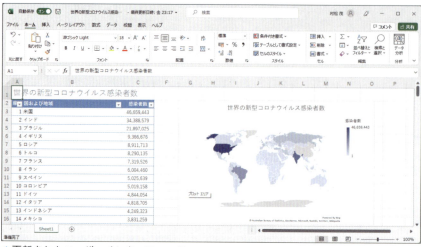
▲更新されたユーザーインターフェース

共同編集

　Excel for Microsoft 365の新機能です。ブックをOneDriveに保存して、他のユーザーとファイルを共有し、共同編集できる機能です。永続版のExcel 2021では使用できません。

　ウィンドウ右上の［共有］をクリックして、メールアドレスや連絡先の登録された氏名を使ってリンクを送信します。リンクから相手が編集に参加できます。

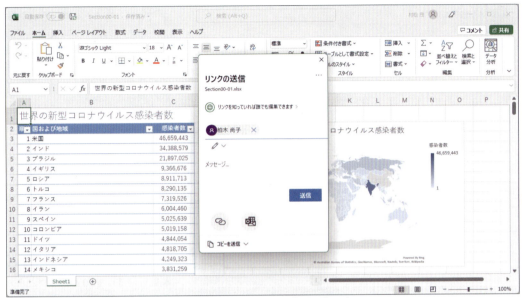

▲OneDriveに保存したブックならリンクを送信して、共同編集が可能です

XLOOKUP関数（詳細はセクション03を参照）

　XLOOKUPは、テーブルまたはセル範囲で必要なものを1行ずつ検索して値を返す関数です。

LET関数（詳細はセクション03を参照）

　LETは、計算結果に名前を割り当てられる関数です。これにより、中間計算、値、または定義名を数式内に格納できます。これらの名前は、LET関数の範囲内でのみ適用されます。

XMATCH関数（詳細はセクション03を参照）

　XMATCHは、配列またはセル範囲内で指定された項目を検索し、項目の相対位置を返す関数です。

動的な配列を可能にする6つの関数（詳細はセクション03を参照）

　1つの数式を記述して、値の配列を返します。次の6つの新しい関数を計算と分析に使用できます。

- ・FILTER
- ・SORT
- ・SORTBY
- ・UNIQUE
- ・SEQUENCE
- ・RANDARRAY

シートビュー

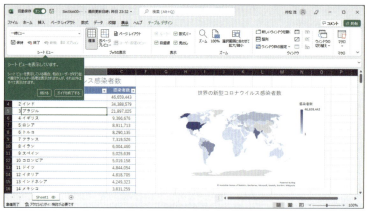

▲ [表示]のシートビュー欄で[新規]をクリックすると、シートビューが表示されます

シートビューはワークシートで、他のユーザーによって中断されることなく、カスタマイズされたビューを作成できる機能です。たとえば、フィルターを設定して、自分にとって重要なレコードだけを表示し、他のユーザーによるドキュメントの並べ替えやフィルター処理に影響を与えないようにできます。作成したすべてのセルレベルの編集は、使用しているビューに関係なく、ブックと共に自動的に保存されます。

アクセシビリティのチェック

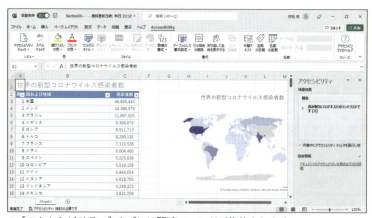

▲ [アクセシビリティ]タブには関連コマンドが集約されます

ワークシートを共有する前に、アクセシビリティチェックを実行すると、障がいのあるユーザーにとって読みやすく、編集しやすいものであるかどうかを確認できます。[校閲]タブで[アクセシビリティチェック]>[アクセシビリティチェック]をクリックすると、[アクセシビリティ]タブが表示されます。2021年11月現在、タブ名は英語表記のまま[Accessibility]となっています。

複数のシートを同時に再表示

▲ Excel 2019では単一のシートしか選択できません

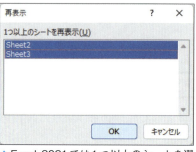

▲ Excel 2021では1つ以上のシートを選択できます

非表示にしたシートを同時に複数再表示できる機能です。Excel 2019までは単一のシートしか選択できませんでしたが、[Ctrl]キーまたは[Shift]キーを使用して複数のシートを選択できるようになりました。地味な新機能ですが、ありがたい改善です。

ストック画像

▲Microsoft 365の各アプリから利用できる画像素材です

Microsoft 365の各アプリから使用できる画像の素材です。Excel for Microsoft 365で利用できます。Excel 2021では使用できません。

画像（写真）、アイコン、人物の切り絵（写真）、ステッカー、イラストと5種類のカテゴリーが用意されます。

アプリウィンドウ上中央部に配置された検索ボックス

▲アプリウィンドウ上中央部にMicrosoft Searchの検索ボックスが用意されました

アプリウィンドウの上中央部にMicrosoft Searchの検索ボックスが配置されました。これは検索ボックスにも表示される通り、[Alt] + [Q] キーを押しても起動できます。アプリの機能を呼び出すのに役立ちます。

OpenDocument形式（ODF）1.3のサポート

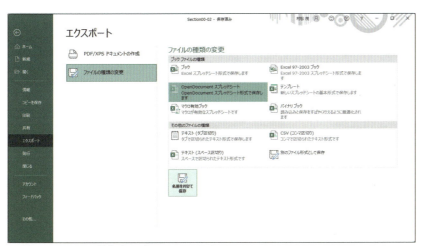

▲OpenDocument形式（ODF）に1.3のサポート

ワークシートはブック形式以外の様々なファイル形式にエクスポートできます。OpenDocumentスプレッドシート形式はバージョン1.3に対応しました。

SECTION

キーワード ▶ Excel2021 新関数

03 Excel2021で追加された新しい関数

このセクションでは新機能の中で新しく利用できるようになった関数に焦点を当てて解説します。XLOOKUP関数、LET関数、XMATCH関数、このほか動的な配列を可能にする6つの関数が新たに搭載されました。

XLOOKUP関数

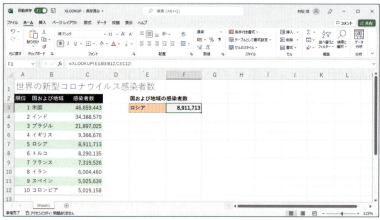

▲入力された検索語と一致するセル範囲を検索して、それに関連する値を表示できます

XLOOKUP関数を使用すると、表や範囲から行ごとに情報を検索できます。たとえば、携帯電話番号に基づいて氏名を検索するような使い方ができます。

XLOOKUPを使用すると、1つの列で検索語を検索し、戻り列がどちら側にあるかに関係なく、別の列の同じ行から結果を返すことができます。

【書式】
=XLOOKUP(検索値, 検索範囲, 戻り範囲, [見つからない場合], [一致モード], [検索モード])

LET関数

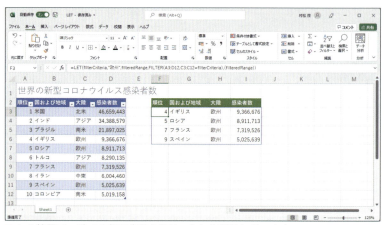

▲セル範囲で一致する値に名前を付け、それを利用しています

LET関数は、計算結果に名前を割り当てます。これにより、中間計算、値、定義名などを数式内に格納できます。これらの名前はLET関数の範囲内にのみ適用されます。LETはExcelのネイティブな数式構文を使用して実行されます。

【書式】
=LET(名前1, 名前値1, 計算または名前2, 名前値2, …)

XMATCH関数

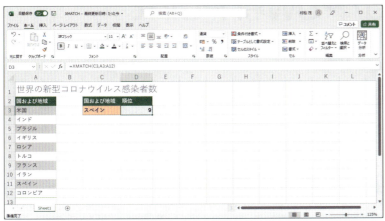
▲入力した値が一致するセルの指定したセル範囲の相対位置を表示する関数です

XMATCHは、セルの配列または範囲で指定された項目を検索し、項目の相対位置を返す関数です。

【書式】
=XMATCH(検索値, 検索範囲, [一致モード], [検索モード])

動的な配列を可能にする6つの新しい関数

1つの数式を記述して、値の配列を返します。次の6つの新しい関数を使って、計算と分析を促進できます。
・FILTER関数を使用すると、定義した条件に基づいてデータの範囲をフィルター処理できます。

・**SORT関数**
範囲または配列の内容を並べ替えます。
【書式】
=SORT (配列, [並べ替えインデックス], [並べ替え順序], [並べ替え基準])

・**SORTBY関数**
範囲または配列の内容を、対応する範囲または配列の値に基づいて並べ替えます。
【書式】
=SORTBY (配列, 基準配列1, [並べ替え順序1], …)

・**UNIQUE関数**
一覧または範囲内の一意の値の一覧を返します。
【書式】
=UNIQUE (配列, [列の比較], [回数指定])

・**SEQUENCE関数**
1、2、3など、配列内の連続した数値の一覧を生成できます。
【書式】
=SEQUENCE (行, [列], [開始], [目盛り])

・**RANDARRAY関数**
ランダムな数値の配列を返します。入力する行と列の数、最小値と最大値、および整数または10進数の値を返すかどうかを指定できます。
【書式】
=RANDARRAY([行], [列], [最小], [最大], [整数])

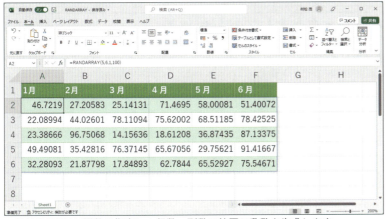
▲RANDARRAY関数は指定した行数・列数の範囲に乱数を生成します

SECTION

キーワード ▶ Word・PowerPoint 連携機能

04 Word/PowerPointとの連携

ExcelとWord、PowerPointの一番簡単な連携は貼り付けです。ただしこの場合、貼り付けたものは固定化されます。リンクオブジェクトとして貼り付けると、コピー元を変更すると、貼り付け先でもその変更が反映されます。

単純にコピーして貼り付ける

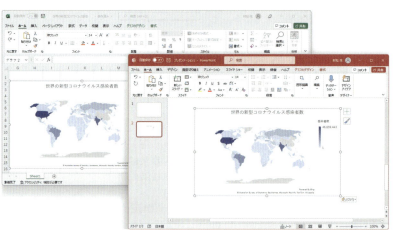

コピーと貼り付けはPCを使うすべての人が日ごろお世話になっている機能です。Excel、Word、PowerPointにはコピー元や貼り付け先のデータの種類によってさまざまな貼り付けオプションが用意されます。アプリ間のコピー＆貼り付けは使いやすくなっています。

▲単純にコピーして、貼り付けるだけでも簡単に他のアプリのデータを利用できます

リンクオブジェクトとして貼り付ける

通常のコピー＆貼り付けではなく、リンクオブジェクトとして挿入すると、リンクされたドキュメントの変更を編集中のドキュメントに反映できます。

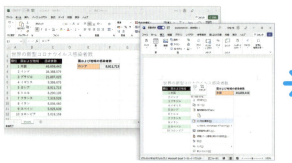

▲リンクオブジェクトとして貼り付ける＆コピー元のデータを更新すると…

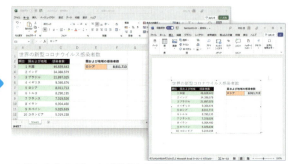

▲リンク先のデータが最新に更新されます

1章

Excel 2021の基本操作を学ぼう

ExcelはWordと並ぶオフィススイートの中核として、現在はMicrosoft 365 Personal、そしてOffice Personal 2021、Office Home & Business 2021のいずれのパッケージにも収録されます。文書作成という万人向けのWordに比べ理系色の濃いExcelは初心者に敬遠されがちですが、小・中学校レベルの四則計算だけを使用しても十分に役に立ちます。この章ではWordと比較しながら、Excelの特徴を探ります。

SECTION キーワード ▶ Excelの基礎知識

05 Excelとは？

簡単な表を含む文書作成ならワープロアプリのWordが適しています。しかし表やグラフを中心としたドキュメントを作成するなら表計算アプリのExcelが最適です。Wordを罫線付きノートに例えるなら、Excelは計算機能付き方眼ノートといえます。

Wordと対照したExcelの特徴

ワープロアプリと表計算アプリを対照して、Excelの特徴を探ってみます。一般的な業務で最も使用されるアプリは、文書作成のワードプロセッサー（ワープロ）と表計算（スプレッドシート）の両アプリです。その代表的な製品がワープロアプリのWordと表計算アプリのExcelです。どちらも家庭向け製品のサブスクリプション製品Office Personal 2021、同じく永続版製品のOffice Home & Business 2021、Microsoft 365 Personalに収録されます。

Wordの白紙の文書は余白の位置を示す四隅の裁ちトンボだけが表示された真っ白い紙のような見た目です。しかし文字を入力していくと、ベースラインがそろうので、見えない罫線が用意されているようなものです。

これに対してExcelの空白のブックのシートは長方形のマス目で区切られた方眼紙のような形状になっています。白紙でも表は作成できますが、方眼紙なら表を作成しやすいのは簡単に想像できるでしょう。そしてマス目に計算機能が付いているのがExcelの大きな特徴です。

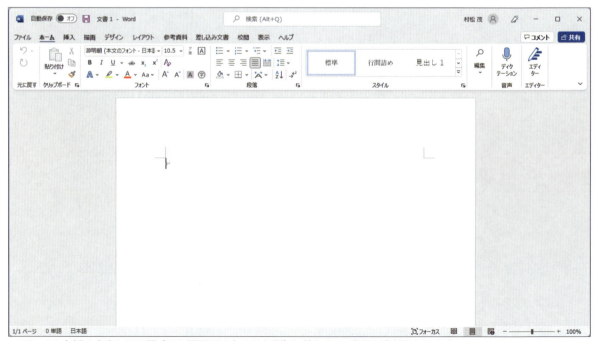

▲Wordの白紙の文書には四隅（この画面では上の2か所）に裁ちトンボだけが表示されます

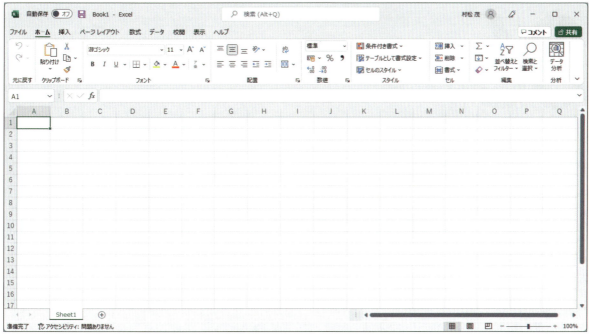

▲Excelの空白のブックのワークシートは長方形の方眼紙のようないで立ちです

セルは単独計算もできるマジックボックス

　Excelの作業領域であるワークシートのマス目がずらっと縦横に並んでいます。このマス目を「セル」（cell：「細胞」「小部屋」「小区間」などの意味）と呼びます。セルにはそれぞれ番地が用意され、「A」から始まる列番号、「1」から始まる行番号でセル番地が特定されます。

　そしてセルには入力した数式の答えを表示する魔法のような機能があります。セルに「＝」から始まる数式を入力すると、その答えがセルに表示されます。たとえば「＝1＋2＋3＋4」と入力すると、その答えである「10」を表示します。

　さらにセルには他のセルの値を参照した数式を入力して、その答えを表示する機能があります。たとえばA1、A2、A3、A4の各セルに値を入力し、A5に「＝A1＋A2＋A3＋A4」と入力すると、その答えを弾き出します。

　項目とデータを入力して表を作成し、四則計算をはじめとするさまざまな関数で分析し、視覚化つまりグラフ化するのがExcelの醍醐味です。

・セル内の数式

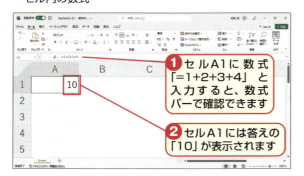

❶セルA1に数式「＝1＋2＋3＋4」と入力すると、数式バーで確認できます

❷セルA1には答えの「10」が表示されます

・他のセルを参照した数式

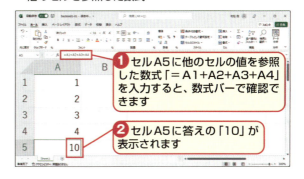

❶セルA5に他のセルの値を参照した数式「＝A1＋A2＋A3＋A4」を入力すると、数式バーで確認できます

❷セルA5に答えの「10」が表示されます

SECTION

キーワード▶Excelの新しい画面

06 Excelの画面構成

Excel 2021ではExcel 2019から引き続きリボン（タブ切り替え式コマンドメニュー）を採用しています。Excel 2021のリボンは［ファイル］［ホーム］［挿入］［ページレイアウト］［数式］［データ］［校閲］［表示］［ヘルプ］の各タブで構成されます。

Excelの画面構成を詳しく見る

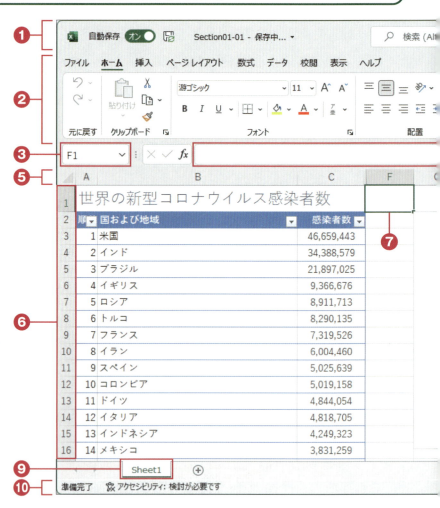

❶ タイトルバー

左に自動保存のオン/オフの切り替えスイッチと［保存］、中央にファイル名と検索ボックス、右に［サインインユーザー名］［リボンの表示オプション］［最小化］［スナップレイアウト］［閉じる］ボタンが配置されます。

❷ リボン

タブとコマンドを表示する領域です。タブを選択すると表示されるコマンドが切り替わります。既定のタブは［ファイル］［ホーム］［挿入］［ページレイアウト］［数式］［データ］［校閲］［表示］［ヘルプ］です。

❸ 名前ボックス

選択したセル番地が列番号（A、B、C…）、行番号（1、2、3…）の順に表示されます。複数のセルをドラッグした状態では、セル範囲の行（R）数×列（C）数が表示されます。

❹ 数式バー

アクティブセルに入力された実際の値を表示します。数式が入力されたセルには計算結果が表示されますが、数式バーには数式がそのまま表示されます。

❺ 列番号

セルの列番号が表示されます。アルファベットで表記され、A～Z、AA～ZZ、AAA～XFD（最終列番号＝16384）の順になります。

メモ ワークシートの最大サイズ

Excel 2021のワークシートの最大サイズは、Excel 2007/2010/2013/2016/2019と同じく、16,384（2の14乗）列/1,048,576（2の20乗）行です。[Ctrl]＋[↓]＋[→]キーを同時に押すと、最終セルに移動するので、セル番地「XFD1048576」が確認できます。

❻ 行番号

セルの行番号が表示されます。自然数で表記され、1、2、3……1048576（最終行番号）の順になります。

❼ セルとアクティブセル

値（数値、文字など）を入力する縦横に並んだマス目です。それぞれのセルに値を入力できます。アクティブセルは画面上、太い色枠で囲まれて表示されます。

❽ スクロールバー

シートの表示部分を上下左右に移動します。

❾ シート見出し

シート下のタブはシート見出しです。シート見出しの右の［＋］をクリックすると、新しいシートが追加されます。

❿ ステータスバー

シートや選択したセルまたはセル範囲の状態、表示形式、ズームのサイズを表示します。

⓫ 表示切り替えボタン

シートの表示方法を切り替えるボタンです。左から［標準］［ページレイアウト］［次ページプレビュー］が配置されます。

⓬ ズームスライダー

ドラッグ＆ドロップして、シートの表示倍率を10〜400％の範囲で変更できます。左右の［−］［＋］ボタンをクリックすると、10％刻みで変更できます。また倍率の数字をクリックすると、［ズーム］ダイアログボックスが開いて、10〜400％の範囲で任意の倍率を指定できます。

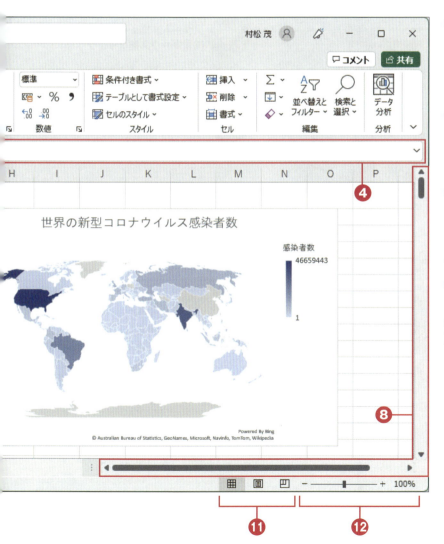

SECTION

07 Excelのタスクバーと スタートへのピン留め

キーワード▶タスクバー／ピン留め

Excelがプレインストールされているがいる Windowsでは通常、タスクバーおよびスタートメニューにExcelのショートカットがピン留めされています。Excelのショートカットが用意されていない場合は起動しやすいようにピン留めします。

ExcelをタスクバーとスタートにピN留めする

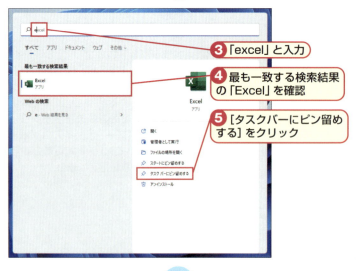

 手順1 スタートメニューを開いて、検索ボックスをクリックする

タスクバーの[スタート]をクリックして、検索ボックスをクリックします。

時短 [Windows]キー

スタートメニューを開く

 手順2 アプリの中からExcelを検索する

検索ボックスに「excel」と入力します。最も一致する検索結果に「Excel」を確認したら[タスクバーにピン留めする]をクリックします。

時短 検索でExcelを見つける

スタートメニューの検索ボックスは入力された文字列で登録されているアプリを絞り込む機能があります。「excel」と最後まで入力しなくても、補完されて表示されます。ピン留めされていないアプリは[すべてのアプリ]を開くより早く見つかります。

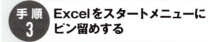

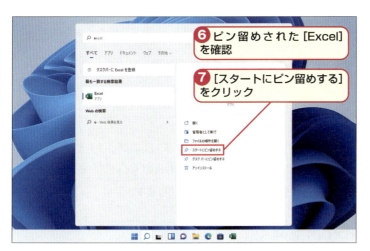

6 ピン留めされた [Excel] を確認

7 [スタートにピン留めする] をクリック

手順3 Excelをスタートメニューにピン留めする

タスクバーにピン留めされたExcelを確認します。[スタートにピン留めする] をクリックします。

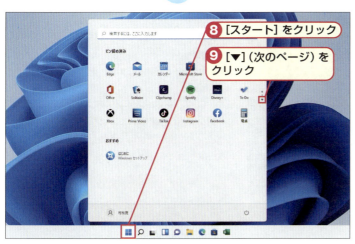

8 [スタート] をクリック

9 [▼]（次のページ）をクリック

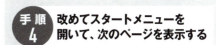

手順4 改めてスタートメニューを開いて、次のページを表示する

[スタート] をクリックして改めてスタートメニューを開いて、スクロールダウンします。

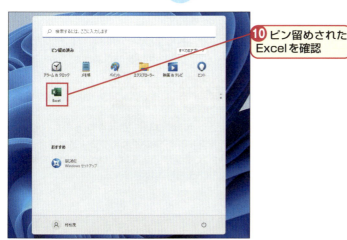

10 ピン留めされたExcelを確認

完成 ピン留めされたExcelが確認できた

スタートメニューにピン留めされたExcelを確認します。

SECTION キーワード▶起動／終了

08 Excelの起動と終了

Excelを開くと、最初にスタートウィンドウが表示されます。次にブックを新規作成するか、既存ブックを開きます。Excelの終了はタイトルバー右端の［×］（閉じる）をクリックするだけです。自動保存がオンの場合、そのまますぐに終了します。

Excelを開く

 手順1　ピン留めされたExcelをクリックする

タスクバーの［Excel］をクリックします。

タスクバーの〇番目のアプリを開く（この画面では最初のエクスプローラーから数えてExcelは4番目となります）

 手順2　空白のブックを開く

スタートウィンドウが開きました。［空白のブック］をクリックします。

 スタートウィンドウとBackstage

Excelの起動時に表示されるのがスタートウィンドウの画面です。［ファイル］をクリックすると開くBackstageの画面とほぼ同じ内容です。

 空白のブックが開いた

空白のブックが開きました。

Excelを閉じる

 [×]をクリックする

[×]（閉じる）をクリックします。ファイルに変更がない場合はそのまま閉じます。

 [Alt]＋[F4]キー

アプリ（Excel）を閉じる

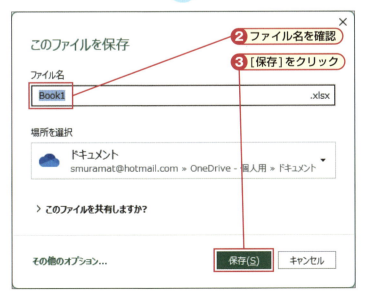

 必要に応じてファイルを保存する

ファイルに変更がある場合、ファイル名（通常は既定の「Book1」を変更）を確認し、[保存]をクリックします。保存するとExcelは閉じます。

 ファイルを変更しないとそのまま終了

ファイルに変更を加えずにExcelを閉じようとすると、ファイルの保存を問うダイアログボックスは開きません。

SECTION キーワード▶ブックを開く

09 既存のファイルの開き方

Excelを開くとき、新規作成より圧倒的に既存のブックを開くほうが多くなります。スタートウィンドウには最近使ったアイテムが表示されます。ここに目的のブックが表示されなかったらファイルの保存場所を参照して開きます。

既存のファイルを開く

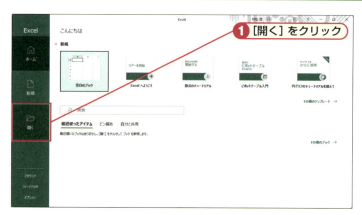

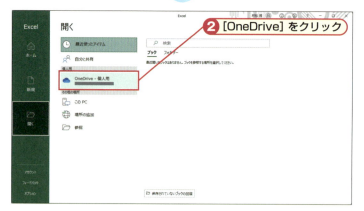

手順1 スタートウィンドウで[開く]をクリックする

スタートウィンドウで[開く]をクリックします。ファイルを開いたり、保存したりすると最近使ったアイテムとして表示されます。

便利技 最近使ったアイテム

スタートウィンドウ下部の最近使ったアイテム欄にはExcelで開いたり、編集したりしたブックが一覧表示されます。通常はこの欄で事足ります。

手順2 ファイルの保存場所を選択する

ファイルの保存場所である[OneDrive]または[このPC]をクリックして選択します。

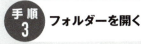
フォルダーを開く

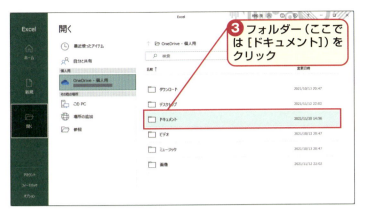

フォルダーをクリックして開きます。

ファイルを開く

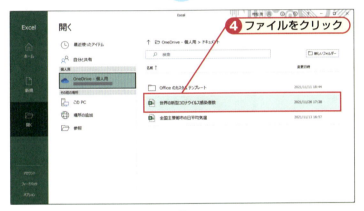

ファイルをクリックして開きます。

ファイルが開いた

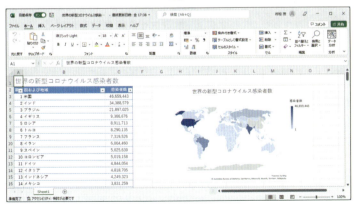

ファイルがが開きました。

SECTION

キーワード ▶ ブックの保存

10 ファイルの保存

ファイルを上書き保存するにはクイックアクセスツールバーの［上書き保存］をクリックします。変更を加えたブックを保存しようとすると［名前を付けて保存］、変更せずにブックを保存しようとすると［コピーを保存］が表示されます。

名前を付けてファイルを保存する

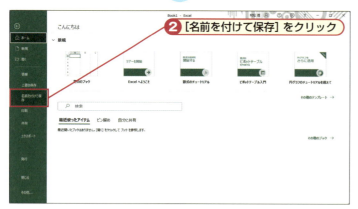

 手順1 Backstageを開く

［ファイル］をクリックします。

メモ Backstageとは？

Backstageとは［ファイル］をクリックすると開く画面の総称です。左側のバーにメニューが並んでいるのが特徴です。なおメニューの内容は状況により少し異なります。

 手順2 ファイルに名前を付けて保存する

［名前を付けて保存］をクリックします。

便利技 ファイルの保存場所をOneDriveにする利点

Excel、Word、PowerPointではファイルの保存場所をOneDriveにすると、自動保存機能が利用できます。必要に応じてオン/オフできます。しかし［このPC］（ローカルディスク）を選択した場合には利用できません。

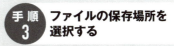

 ファイルの保存場所を選択する

ファイルの保存場所である[OneDrive]または[このPC]をクリックします。

 フォルダーを開く

フォルダーをクリックして開きます。

 ファイルに名前を付けて保存する

ファイル名を入力して、[保存]をクリックします。

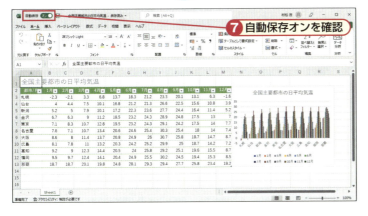

完成 ファイルが保存された

ファイルが保存されました。保存場所としてOneDriveを選択すると、自動保存がオンになります。

SECTION

キーワード ▶ ビューの種類

11 Excelの表示方法

Excelには3種類のビュー（表示方法）が用意されます。既定では通常の作業に適した標準ビューが選択されています。この他、印刷あるいはPDFの出力結果をイメージしやすいページレイアウトビュー、ページの各要素を把握しやすい改ページプレビューがあります。

標準ビュー

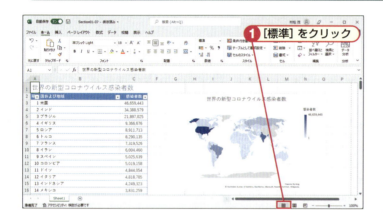

手順1　標準ビューを表示する

ステータスバーの［標準］（通常は既定）をクリックします。

ページレイアウトビュー

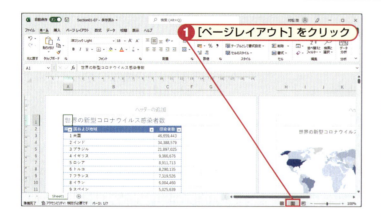

手順1　ページレイアウトビューを表示する

ステータスバーの［ページレイアウト］をクリックします。余白付きでヘッダーおよびフッターを含めてページレイアウトが出力結果に近い形で確認できます。

改ページプレビュー

手順1 **改ページプレビューを表示する**

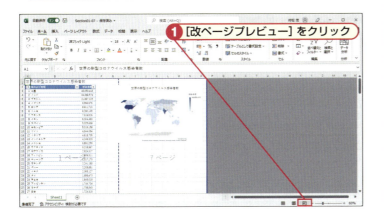

ステータスバーの［改ページプレビュー］をクリックします。各ページに収まる要素を確認できます。

メモ ［表示］タブでもビューを選択できる

ここではタブに依存せずにワンクリックで簡単にビューを変更する方法を示しました。しかしこれらのコマンドは［表示］タブにも同じものが用意されています。ズームを含め表示関係をまとめて見直す場合は［表示］タブを開いて、詳細に設定したほうがいいでしょう。

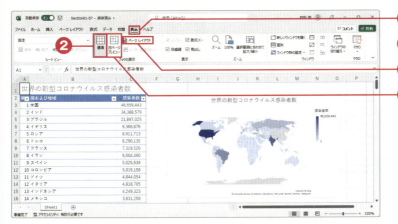

SECTION　キーワード▶オプション

12 Excelのオプション

スタートウィンドウまたはBackstageから開く、[Excelのオプション]には、Excelのすべての設定項目が用意されています。使い始める前に変更する必要はありませんが、使い慣れてきたら、自分好みに設定を変更できる方法として覚えておきましょう。

[Excelのオプション]を開く

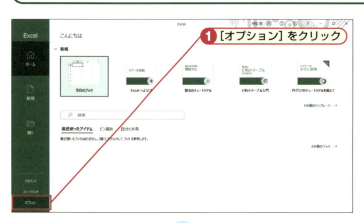

 オプションを開く

スタートウィンドウまたはBackstage（[ファイル]をクリックすると開く画面）で[オプション]をクリックします。

 オプションが開いた

[Excelのオプション]が開きました。

 [オプション]が見つからなかったら

Excelのウィンドウサイズによっては[オプション]が直接表示されない場合があります。そんなときは[その他…]をクリックしてみてください。[オプション]が見つかるはずです。

2章

表作成の基本を学ぼう

基本的な表は主項目と副項目が交差した2次元のマトリックス(行列)にデータが入ったものです。プロ野球や大相撲の勝敗表などもその一つです。表を作成することで、ぼんやりとしたイメージが具体性を持ってきます。また作成したら完成ではなく、より目的が伝わりやすい表に改善していくといいでしょう。

SECTION　キーワード▶表作成　サンプル番号　02sec13

13 表を作成する手順

表を作成するとき、最初に表タイトルを決めます。次に表の主項目と副項目を行と列に配置しますが、どちらを列にして、どちらを行にするか迷います。とくに決まりはありませんが、列を主項目、行を副項目と考えたほうがいいでしょう。

手順解説動画

基本的な要素を入力して表を作る

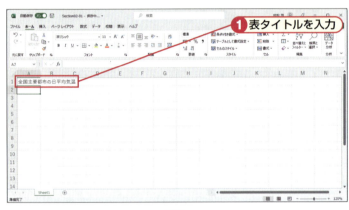
 表タイトルを入力

手順1　表タイトルを入力する

セル（ここではA1）に表タイトルを入力します。

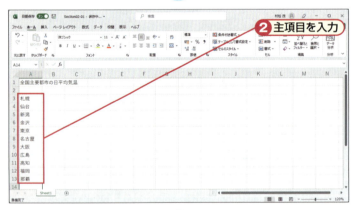
 主項目を入力

手順2　主項目を入力する

主項目を入力します。

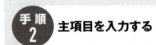
余分な余白は不要

よくExcelの使い方を解説する記事で、ワークシートを1列1行空けて表を作成する手順を見かけます。おそらく余白を用意したか、見やすくするために工夫したと推察されます。しかしこれをまねる必要はありません。印刷時に余白を設定するので、ワークシート上で余白を作る必要はありません。

副項目を入力します。

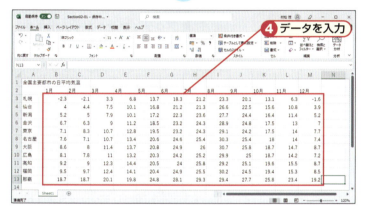

データを入力します。基本的な表の要素がそろいました。

主項目と副項目

主項目と副項目の決定は迷うと思います。その表がデータを分析して何を明らかにしたいかによって、主項目と副項目は逆になる場合があります。しかしExcelには表をコピーして、行と列を入れ替えて貼り付ける機能がありますので、しっくりこなければ入れ替えてみればいいでしょう。

▲行と列を入れ替えると、データの印象も変わります

SECTION キーワード▶セル操作　　　サンプル番号　02sec14

14 セルの選択

セルに値を入力するには選択してアクティブセルにする必要があります。この操作で一番多いのは隣接するセルへの移動です。これには方向キーが便利です。セルをクリックするのも直感的でわかりやすい方法です。この他、セル番地を指定して移動する方法もあります。

隣接するセルを選択する

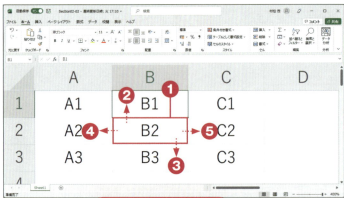

① アクティブセルを確認
② [↑] キーを押す→【手順2】へ
③ [↓] または [Enter] キーを押す→【手順3】へ
④ [←] キーを押す→【手順4】へ
⑤ [→] または [Tab] キーを押す→【手順5】へ

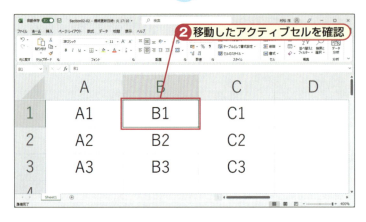

手順1 アクティブセルから方向キーを使って移動する

現在のアクティブセルを確認します。移動する方向の方向キーを押します。

メモ 活用したい [Enter] キーと [Tab] キー

方向キー以外で隣接するセルに移動できるのは、[Enter] キーと [Tab] キーだけです。方向キーを押すにはどうしてもキーボードのホームポジションが崩れますが、[Enter] キーと [Tab] キーならそんな心配もありません。連続してデータを入力するときのために身に付けておきましょう。

時短 [Enter] キー

アクティブセルを下に移動する

時短 [Tab] キー

アクティブセルを右に移動する

手順2 アクティブセルが上に移動した

アクティブセルが上に移動しました。

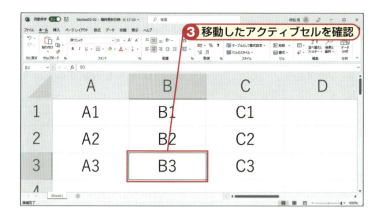

アクティブセルが下に移動した

アクティブセルが下に移動しました。

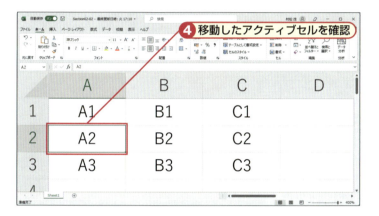

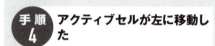
アクティブセルが左に移動した

アクティブセルが左に移動しました。

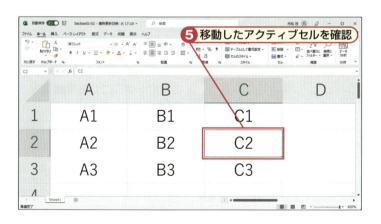

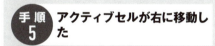
アクティブセルが右に移動した

アクティブセルが右に移動しました。

 斜め方向への移動

[↑]+[←]キー　左上に移動
[↑]+[→]キー　右上に移動
[↓]+[←]キー　左下に移動
[↓]+[→]キー　右下に移動

マウスでセルを選択する

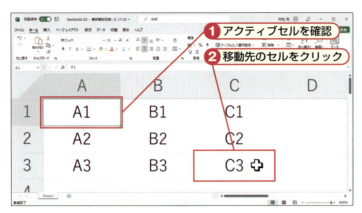

 移動先のセルを選択する

現在のアクティブセルを確認します。移動先のセルをクリックします。

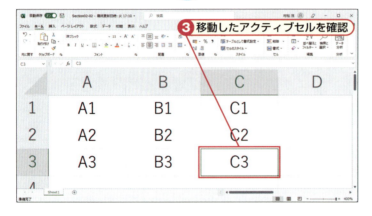

 アクティブセルが移動した

アクティブセルが移動しました。

セル番地からセルを選択する

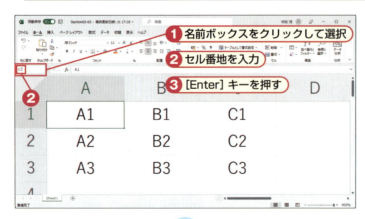

 名前ボックスにセル番地を入力する

名前ボックスをクリックして選択して、セル番地を入力し、[Enter] キーを押します。

 セル番地は大文字・小文字・全角を区別しない

名前ボックスでは、列番号の大文字・小文字を区別しません。また列番号・行番号の全角英数字も区別しません。セルを移動した後で名前ボックスを確認すると、列番地は半角英大文字、行番号は半角数字に自動的に修正されます。

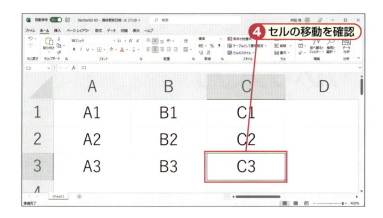

アクティブセルが移動しました。

複数のセルを選択する

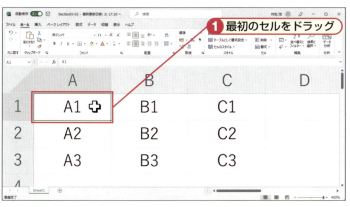

最初のセルをドラッグして選択します。

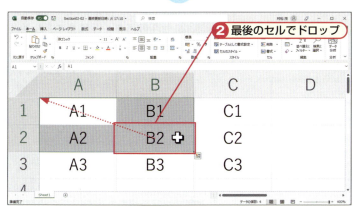

最後のセルでドロップします。最初のセルと最後のセルに囲まれたブロックが選択されます。

便利技 広いセル範囲は [Shift] キーを使って選択

広いセル範囲をドラッグで選択するのは少し大変です。そこで別の方法を使います。最初のセルをクリックして選択してから、最後のセルを [Shift] キーを押しながらクリックします。すると最初のセルと最後のセルに囲まれたセル範囲を選択できます。

SECTION　キーワード▶表タイトル　　　　　　　　　　サンプル番号　02sec15

15 表タイトルの入力

表タイトルを目立たせるためにセルのスタイルを [タイトル] に変更するのが手軽です。この他、①フォントを太字にする、②フォントの色を変更する、③フォントサイズを大きくする、④フォントを変更する——を組み合わせる方法もあります。

表タイトルのスタイルを変更する

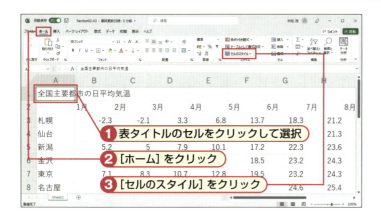

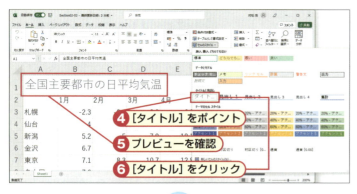

 手順1　表タイトルを選択してセルのスタイルを選択する

表タイトルのセルをクリックして選択します。[ホーム] をクリックして [セルのスタイル] をクリックします。

 表タイトルのスタイル

[セルのスタイル] で [タイトル] を適用すると、フォントは本文と同じ「游ゴシックLight」、フォントサイズは本文の「11」ポイントに対して「18」ポイントとなり、フォントの色は本文の黒 (R0、G0、B0) に対してやや青寄りの灰 (R68、G84、B106) となります。

 手順2　セルのスタイルにタイトルを適用する

[タイトル] をポイントします。適用結果をプレビューして、そのまま [タイトル] をクリックします。

 便利なポイント→プレビュー→クリック

Excelではコマンドをポイントすると、適用結果がプレビューされ、そのままコマンドをクリックすると適用という手順がよく登場します。適用結果をあらかじめ確認できるのでとても便利です。

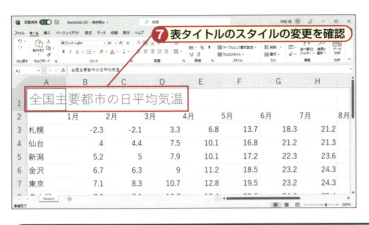

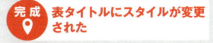
表タイトルにスタイルが変更された

表タイトルにスタイルが変更されました。

表タイトルを太字にする

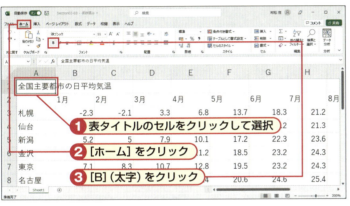

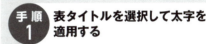
表タイトルを選択して太字を適用する

表タイトルのセルをクリックして選択します。[ホーム]をクリックして、[B]（太字）をクリックします。

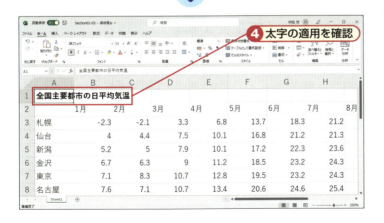

表タイトルが太字になった

表タイトルに太字が適用されました。

表タイトルのフォントの色を変更する

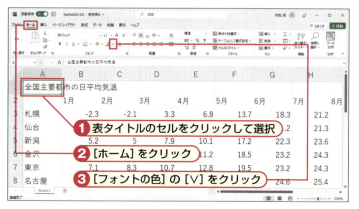

手順1 表タイトルのフォントの色を表示する

表タイトルのセルをクリックして選択します。[ホーム]をクリックして、フォントの色の[∨]をクリックします。

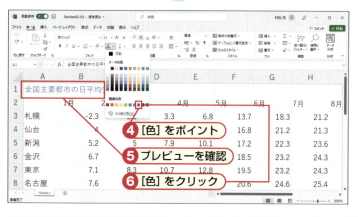

手順2 表タイトルのフォントの色を選択する

[色]をポイントします。適用結果をプレビューして、そのまま[色]をクリックします。

表タイトルのフォントサイズを拡大する

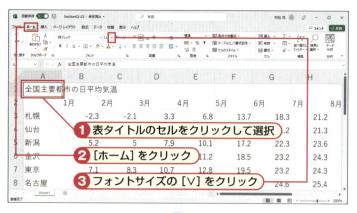

手順1 表タイトルのフォントサイズの一覧を表示する

表タイトルのセルをクリックして選択し、フォントサイズをクリックして、適当なサイズをポイントして、適用結果をプレビューします。そのままフォントサイズをクリックします。

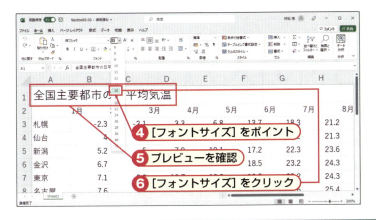

 手順 2 **表タイトルのフォントサイズを選択する**

[フォントサイズ]をポイントします。適用結果をプレビューして、そのまま[フォントサイズ]をクリックします。

表タイトルのフォントを変更する

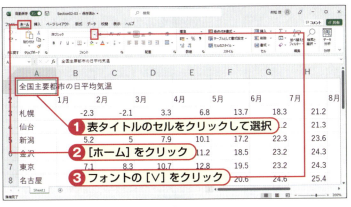

 手順 1 **表タイトルのフォント一覧を表示する**

表タイトルのセルをクリックして選択します。[ホーム]をクリックして、[フォント]の[∨]をクリックします。

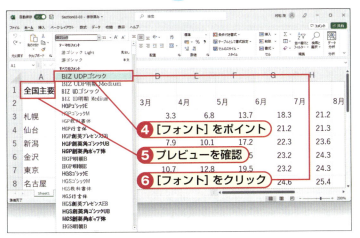

 手順 2 **表タイトルのフォントを選択する**

[フォント]をポイントします。適用結果をプレビューして、そのまま[フォント]をクリックします。

SECTION　キーワード ▶ 数値入力／日付入力　　サンプル番号　02sec16

16 数値や日付の入力

データとして入力するのは基本的に数値が多くなります。既定の書式である標準のまま入力しても数値および日付は違和感なく表示されます。なお数値を入力しても書式は標準のままですが、mm/dd形式で日付を入力すると自動的に書式がユーザー定義となります。

数値を入力する

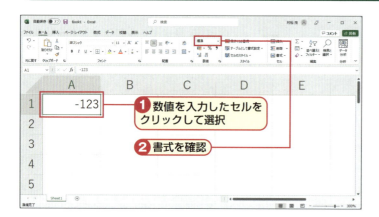

 セルの書式を確認する

数値を入力したセルをクリックして選択します。書式が [標準] であるのを確認します。

 まとめて数値入力なら日本語オフ

データとして数値をまとめて入力する場合、日本語入力はオフにした方が効率的です。Excelは全角数字でも数値と認識されますが、入力の確定に [Enter] キーを押すとひと手間増えます。英数モードであれば、数値入力で使用する操作はセルの移動のみです。

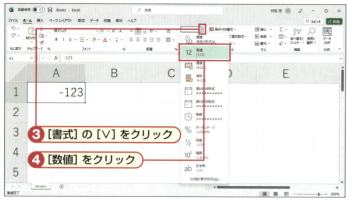

 セルの書式を数値形式にする

[書式] の [∨] をクリックして、[数値] をクリックします。

 書式が数値だとセル内の配置が異なる

自然数を入力した場合でも書式が標準と数値ではセル内の配置が異なります。どちらも右揃えですが、数値の書式ではセル右側の余白が半角分大きくなります。数値の書式でマイナスを表す () で囲んだ場合でも数値をそろえるためと思われます。

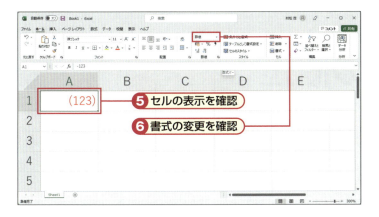
 **セルの書式が数値形式に変更された**

書式が［数値］に変更され、セルの表示が数値の書式に変更されました。

日付を入力する

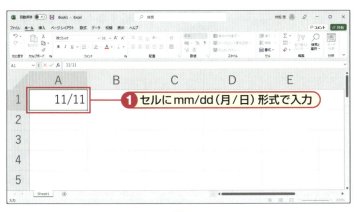

 mm/dd（月／日）形式で入力する

セルをクリックして選択し、mm/dd（月／日）形式で入力します。

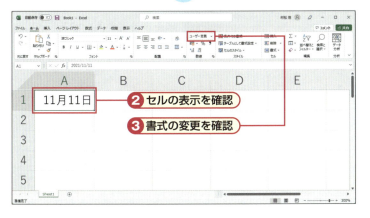

 セルの書式がユーザー定義形式に変更された

自動的に「mm/dd」から「mm月dd日」と変換されて表示されます。入力したセルをクリックして選択して、書式が［ユーザー定義］に変更されたのを確認します。

注意 mm/dd形式は日付と認識される

Excelではmm/dd形式で入力すると日付と認識されます。数式バーで確認するとわかりますが、これはyyyy/mm/ddというデータに変換されていて、yyyy部分は入力した年が自動的に入ります。入力した年以外にする場合は(yy)yy/mm/dd形式で入力する必要があります。

SECTION　キーワード▶データ修正　サンプル番号　02sec17

17 データの修正

Wordでは文書を修正するとき一部を修正するのが基本です。しかしExcelではセルに短い文字列で項目や値を入力します。そのため修正はセルの値を上書きするのが基本です。セルに長い文書が入力されている場合は部分的に修正します。

セルに上書きして修正する

値を修正するセルをクリックして選択します。

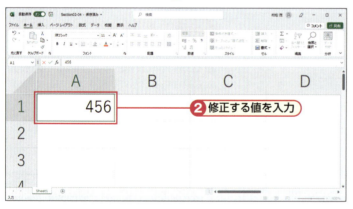

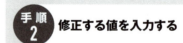

修正する値を入力します。

セルの値の一部を修正する

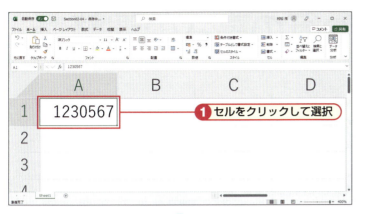

 値を修整するセルを選択する

値を修正するセルをクリックして選択します。

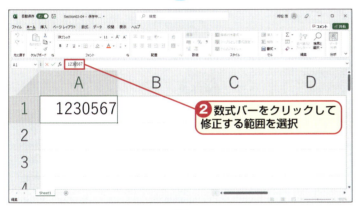

 数式バーで守勢する個所を選択する

数式バーをクリックして選択し、修正する個所を選択します。

 選択はセルでも数式バーでもOK

修正する範囲の指定はセルの値でも数式バーの値でもかまいません。セル内で値を編集する場合はセルをダブルクリックすると、マウスポインターが表示されます。

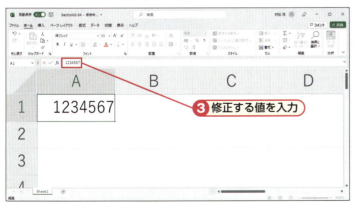

 修正する値を入力する

修正する値を入力して、[Enter] キーを押します。

SECTION　キーワード▶列／行／幅調整／高さ調整　　サンプル番号　02sec18

18 列の幅や行の高さの調整

表の要素がそろったら、表の体裁を整えます。編集段階でも列の幅と行の高さを調整すると、表が見やすくなって作業がしやすくなります。基本的に行の高さは入力されたフォントサイズによって自動的に調整されますが、列の幅は手動でそろえる必要があります。

列の幅を自動調整する

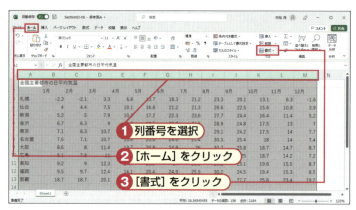

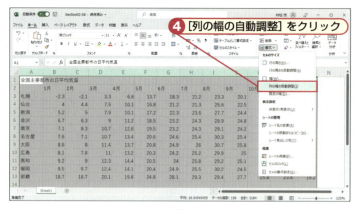

 手順1 列を選択する

列番号をクリックあるいはドラッグして範囲を選択します。［ホーム］をクリックして、［書式］をクリックします。

 時短 ダブルクリックでも列の幅を自動調整できる

最終列番号の右端をダブルクリックすると、コマンドを開かなくても列の幅の自動調整ができます。単独の列あるいは複数の列を選択しても実行できます。

 手順2 列の幅を自動調整する

［列の幅の自動調整］をクリックします。

64

手順 3 列の幅が自動調整された

選択した列の幅が値の長さによって自動調整されました。

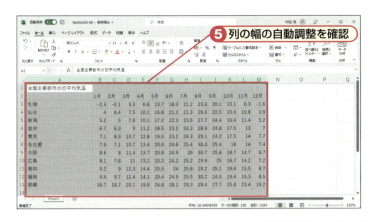

 注意 表タイトルに注意

ここでは列の選択で表タイトルが含まれてしまいました。表タイトルのセルを除いてセル範囲で指定するなど工夫が必要です。

行の高さを自動調整する

 手順 1 行を選択する

行の範囲を選択します。[ホーム] をクリックして、[書式] をクリックします。

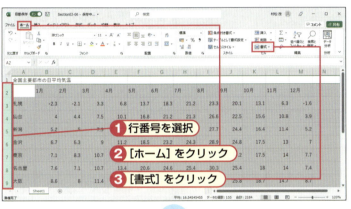

 手順 2 行の高さを自動調整する

[行の高さの自動調整] をクリックします。

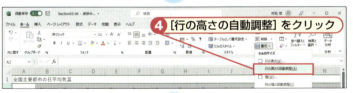

 完成 行の高さが自動調整された

選択した行の高さが値の高さによって自動調整されました。

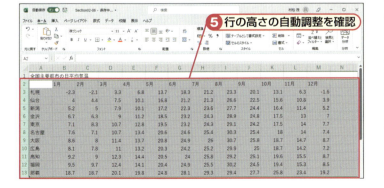

SECTION　キーワード▶ **セルの切り取り／コピー／貼り付け**　サンプル番号　02sec19

19 セルの切り取り／コピーと貼り付け

セルの切り取り・コピーから貼り付けは頻繁に発生する作業です。Excelの場合、切り取りに対しては単純な貼り付けしかできません。しかしコピーに対しては実に14種類の貼り付け方法が用意されています。貼り付けオプションをうまく使い分けていきましょう。

各書式で入力したセル

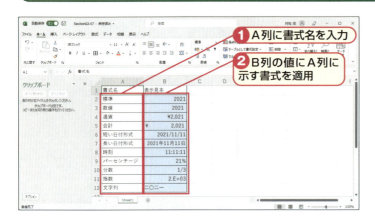

 各書式で入力した値を用意する

貼り付けオプションによる違いを明らかにするため、A列に示す書式をB列の値に適用しています。

メモ　クリップボードの表示

ここでは通常は表示する必要のないクリップボードを表示しています。切り取り・コピーしたデータがクリップボードに格納されるのを視覚的にわかりやすくするためです。

セルを切り取る

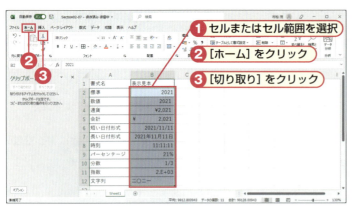

 セルを切り取る

セルまたはセル範囲を選択します。［ホーム］をクリックして、［切り取り］をクリックします。

 [Ctrl] + [X] キー

切り取る

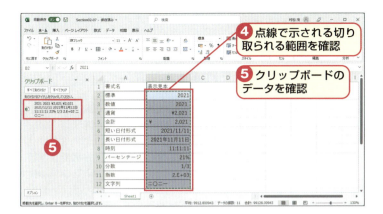
 **セルが切り取られ、貼り付けの準備が完了**

切り取られる範囲が点線で示されます。切り取られたデータはクリップボードに格納され、貼り付けられる状態になりました。

セルをコピーする

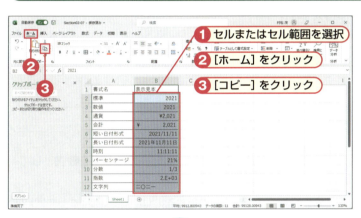

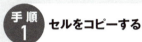 **セルをコピーする**

セルまたはセル範囲を選択します。[ホーム]をクリックして、[コピー]をクリックします。

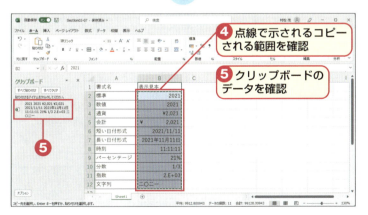

 **セルがコピーされ、貼り付けの準備が完了**

切り取られる範囲が点線で示されます。切り取られたデータはクリップボードに格納され、、貼り付けられる状態になりました。

時短 [Ctrl] + [C] キー

コピーする

セルを貼り付ける

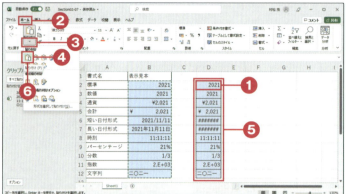

① 貼り付け先のセルを選択
② [ホーム] をクリック
③ [貼り付け] の [∨] をクリック
④ [貼り付け] をポイント
⑤ プレビューを確認
⑥ [貼り付け] をクリック

手順1 切り取った/コピーしたセルを貼り付ける

貼り付け先のセル（セル範囲なら先頭）をクリックして選択します。通常は[ホーム]をクリックして、[貼り付け]をクリックします。ここではプレビュー機能を使用するため、[貼り付け]の[∨]をクリックして、[貼り付け]をポイントします。適用結果をプレビューして、そのまま[貼り付け]をクリックします。

メモ [Ctrl] + [V] キーで貼り付け

オプションなしの貼り付けは、[Ctrl] + [V] キーでも実行できます。

数式として貼り付ける

① 貼り付け先のセルを選択
② [ホーム] をクリック
③ [貼り付け] の [∨] をクリック
④ [数式] をポイント
⑤ プレビューを確認
⑥ [数式] をクリック

手順1 コピーしたセルを数式として貼り付ける

貼り付け先のセル（セル範囲なら先頭）をクリックして選択します。[ホーム]をクリックして、[貼り付け]の[∨]をクリックし、[数式]をポイントします。適用結果をプレビューして、そのまま[数式]をクリックします。

メモ 数式として貼り付けの特徴

数式として貼り付けると、元の書式が日付と時刻の場合、シリアル値に置き換わります。日付は1900年1月1日が「1」となり、2021年11月11日はそれから数えて44511日目にあたるわけです。また時刻は1未満が割り当てられ、「1」を24時間として数値化されます。つまり正午なら0.5となります。ここでは11:11:11は「0.4661」と数値化されています。コピー元の同じ書式に変更すれば、元に戻ります。

数式として数値の書式を保持して貼り付ける

1. 貼り付け先のセルを選択
2. [ホーム]をクリック
3. [貼り付け]の[∨]をクリック
4. [数式と数値の書式]をポイント
5. プレビューを確認
6. [数式と数値の書式]をクリック

手順1 コピーしたセルを数値の書式を保持して貼り付ける

貼り付け先のセル(セル範囲なら先頭)をクリックして選択します。[ホーム]をクリックして、[貼り付け]の[∨]をクリックし、[数式と数値の書式]をポイントします。適用結果をプレビューして、そのまま[数式と数値の書式]をクリックします。

メモ 数式として数値の書式を保持して貼り付けの特徴

数式として貼り付けられ、さらにコピー元の書式元の書式が保持されます。ここでは短い日付形式と長い日付形が列の幅が足りずに「######」と表示されていますが、データは元の数式が書式を保持して貼り付けられています。

元の書式を保持して貼り付ける

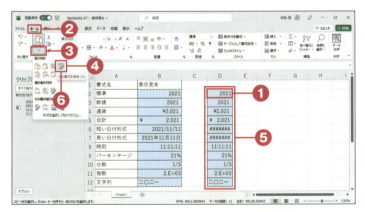

1. 貼り付け先のセルを選択
2. [ホーム]をクリック
3. [貼り付け]の[∨]をクリック
4. [元の書式を保持]をポイント
5. プレビューを確認
6. [元の書式を保持]をクリック

手順1 コピーしたセルを元の書式を保持して貼り付ける

貼り付け先のセル(セル範囲なら先頭)をクリックして選択します。[ホーム]をクリックして、[貼り付け]の[∨]をクリックし、[元の書式を保持]をポイントします。適用結果をプレビューして、そのまま[元の書式を保持]をクリックします。

メモ 元の書式を保持して貼り付けの特徴

元の書式を保持して貼り付けると、列の幅以外はすべてコピー元と同じになります。

罫線なしで貼り付ける

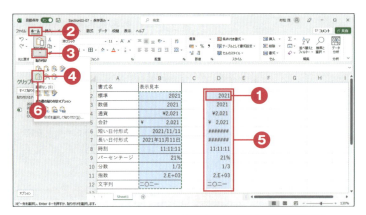

1 貼り付け先のセルを選択
2 [ホーム] をクリック
3 [貼り付け] の [∨] をクリック
4 [罫線なし] をポイント
5 プレビューを確認
6 [罫線なし] をクリック

手順1 コピーしたセルを罫線なしで貼り付ける

貼り付け先のセル（セル範囲なら先頭）をクリックして選択します。[ホーム] をクリックして、[貼り付け] の [∨] をクリックし、[罫線なし] をポイントします。適用結果をプレビューして、そのまま [罫線なし] をクリックします。

メモ 罫線なしで貼り付けの特徴

元の書式を保持して貼り付けられますが、罫線のみは保持されません。

元の列幅を保持して貼り付ける

1 貼り付け先のセルを選択
2 [ホーム] をクリック
3 [貼り付け] の [∨] をクリック
4 [元の列幅を保持] をポイント
5 プレビューを確認
6 [元の列幅を保持] をクリック

手順1 コピーしたセルをもとの列幅を保持して貼り付ける

貼り付け先のセル（セル範囲なら先頭）をクリックして選択します。[ホーム] をクリックして、[貼り付け] の [∨] をクリックし、[元の列幅を保持] をポイントします。適用結果をプレビューして、そのまま [元の列幅を保持] をクリックします。

メモ 元の列幅を保持して貼り付けの特徴

元の列幅を保持して貼り付けると、すべてがコピー元と同じように貼り付けられます。

行と列を入れ替えて貼り付ける

手順1 コピーしたセルを行と列を入れ替えて貼り付ける

貼り付け先の（コピー元がセル範囲なら先頭の）をクリックして選択します。[ホーム]をクリックして、[貼り付け]の[∨]をクリックし、[行/列の入れ替え]をポイントします。適用結果をプレビューして、そのまま[行/列の入れ替え]をクリックします。

❶ 貼り付け先のセルを選択
❷ [ホーム]をクリック
❸ [貼り付け]の[∨]をクリック
❹ [行/列の入れ替え]をポイント
❺ プレビューを確認
❻ [行/列の入れ替え]をクリック

値として貼り付ける

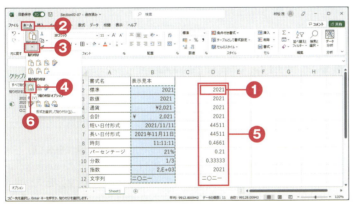

手順1 コピーしたセルを値として貼り付ける

貼り付け先のセル（セル範囲なら先頭）をクリックして選択します。[ホーム]をクリックして、[貼り付け]の[∨]をクリックし、[値]をポイントします。適用結果をプレビューして、そのまま[値]をクリックします。

❶ 貼り付け先のセルを選択
❷ [ホーム]をクリック
❸ [貼り付け]の[∨]をクリック
❹ [値]をポイント
❺ プレビューを確認
❻ [値]をクリック

メモ 値として貼り付けの特徴

値として貼り付けると、セルの数式の答え＝値となるので、数式として貼り付ける場合と少し異なります。たとえば元のセルが「＝1+2」だとすると、数式としての貼り付けると「＝1+2」となりますが、値として貼り付けると「3」となります。

メモ 行と列を入れ替えた貼り付けの特徴

行と列を簡単に入れ替えられるので、表の主項目と副項目を入れ替える場合に重宝する貼り付け方法です。なおコピー元と同じセル範囲では貼り付けられないので、表を同じ場所に配置したい場合は、一時的に後ろの行または列に貼り付けてから、元のセル範囲の行または列を削除する必要があります。

▲表の行と列の入れ替えは元の位置には貼り付けられないので、別の場所に貼り付ける

値として数値の書式を保持して貼り付ける

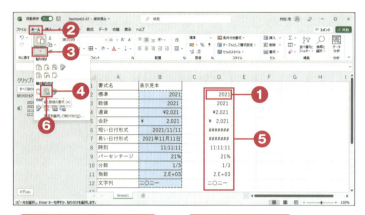

1. 貼り付け先のセルを選択
2. [ホーム] をクリック
3. [貼り付け] の [∨] をクリック
4. [値と数値の書式] をポイント
5. プレビューを確認
6. [値と数値の書式] をクリック

 手順1 コピーしたセルを値として数値の書式を保持し貼り付ける

貼り付け先のセル（セル範囲なら先頭）をクリックして選択します。[ホーム] をクリックして、[貼り付け] の [∨] をクリックし、[値と数値の書式] をポイントします。適用結果をプレビューして、そのまま [値と数値の書式] をクリックします。

 メモ 値として数値の書式を保持して貼り付ける特徴

コピー元の数式ではなく値を貼り付けますが、数値の書式を保持する貼り付けです。罫線や塗りつぶしの色は保持されません。

値として元の書式を保持して貼り付ける

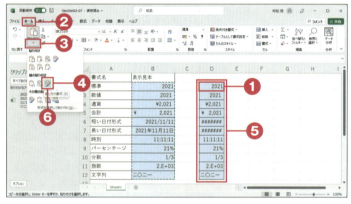

1. 貼り付け先のセルを選択
2. [ホーム] をクリック
3. [貼り付け] の [∨] をクリック
4. [値と元の書式] をポイント
5. プレビューを確認
6. [値と元の書式] をクリック

 手順1 コピーしたセルを元の書式を保持して貼り付ける

貼り付け先のセル（セル範囲なら先頭）をクリックして選択します。[ホーム] をクリックして、[貼り付け] の [∨] をクリックし、[値と元の書式] をポイントします。適用結果をプレビューして、そのまま [値と元の書式] をクリックします。

 メモ 値として元の書式を保持して貼り付ける特徴

コピー元の数値ではなく値を貼り付けますが、書式を保持する貼り付けです。罫線や塗りつぶしの色も保持されます。

書式設定のみを貼り付ける

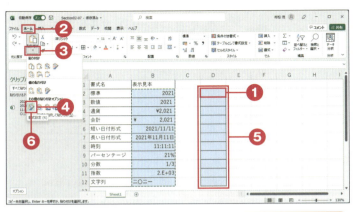

手順1 コピーしたセルの書式設定のみを貼り付ける

貼り付け先のセル（セル範囲なら先頭）をクリックして選択します。[ホーム]をクリックして、[貼り付け]の[∨]をクリックし、[書式設定]をポイントします。適用結果をプレビューして、そのまま[書式設定]をクリックします。

1. 貼り付け先のセルを選択
2. [ホーム]をクリック
3. [貼り付け]の[∨]をクリック
4. [書式設定]をポイント
5. プレビューを確認
6. [書式設定]をクリック

リンクとして貼り付ける

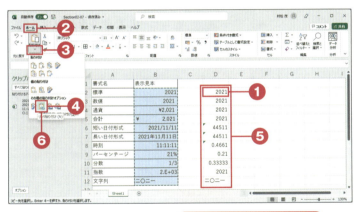

手順1 コピーしたセルをリンクとして貼り付ける

貼り付け先のセル（セル範囲なら先頭）をクリックして選択します。[ホーム]をクリックして、[貼り付け]の[∨]をクリックし、[リンク貼り付け]をポイントします。適用結果をプレビューして、そのまま[リンク貼り付け]をクリックします。

メモ 貼り付けられたリンクの特徴

貼り付けたリンクは元のセルを参照します。しかし書式が標準のまま貼り付けられるので、日付や時刻は数値として表示されます。

1. 貼り付け先のセルを選択
2. [ホーム]をクリック
3. [貼り付け]の[∨]をクリック
4. [リンク貼り付け]をポイント
5. プレビューを確認
6. [リンク貼り付け]をクリック

図として貼り付ける

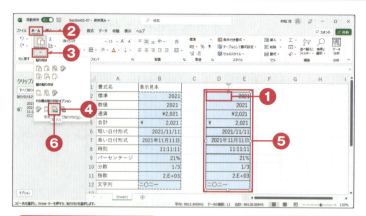

1. 貼り付け先のセルを選択
2. [ホーム] をクリック
3. [貼り付け] の [∨] をクリック
4. [図] をポイント
5. プレビューを確認
6. [図] をクリック

手順1　コピーしたセルを図として貼り付ける

貼り付け先のセル（セル範囲なら先頭）をクリックして選択します。[ホーム] をクリックして、[貼り付け] の [∨] をクリックし、[図] をポイントします。適用結果をプレビューして、そのまま [図] をクリックします。

メモ　貼り付けられた図の特徴

図として貼り付けた場合、その時点で完結するので、コピー元の値を変更しても図には反映されません。

リンクされた図として貼り付ける

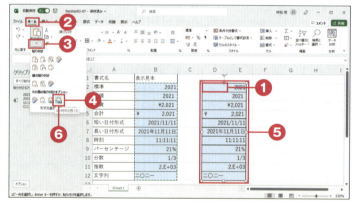

1. 貼り付け先のセルを選択
2. [ホーム] をクリック
3. [貼り付け] の [∨] をクリック
4. [リンクされた図] をポイント
5. プレビューを確認
6. [リンクされた図] をクリック

手順1　コピーしたセルをリンクされた図として貼り付ける

貼り付け先のセル（セル範囲なら先頭）をクリックして選択します。[ホーム] をクリックして、[貼り付け] の [∨] をクリックし、[リンクされた図] をポイントします。適用結果をプレビューして、そのまま [リンクされた図] をクリックします。

メモ　貼り付けられたリンクされた図の特徴

貼り付けられたリンクされた図の場合、コピー元の値を変更すると図にも変更が反映されます。

書式のコピーと貼り付け

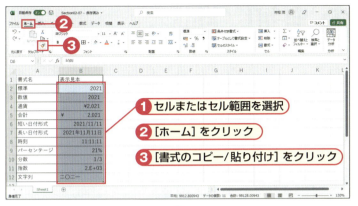

 手順1 セルの書式をコピーする

コピー元のセルまたはセル範囲を選択します。[ホーム]をクリックして、[書式のコピー/貼り付け]をクリックします。

> **メモ** 1つ2役の[書式のコピー/貼り付け]コマンド
>
> [書式のコピー/貼り付けは書式のコピーと書式の貼り付けという2つのコマンドが含まれています。通常のコピーから書式を貼り付けるより効率的です。

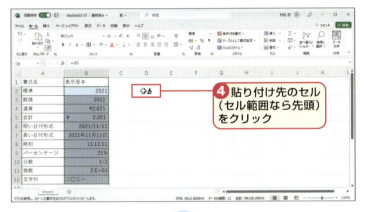

 手順2 貼り付け先のセルを選択する

ポインターの形状が変化するので、貼り付け先のセル(セル範囲なら先頭)をクリックします。

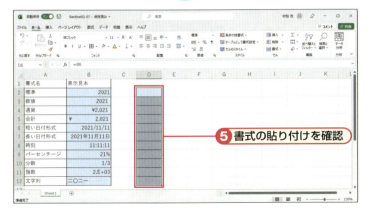

 完成 書式のみ貼り付けられた

書式のみが貼り付けられました。画面上はわかりませんが、数値の書式も保持されています。

SECTION キーワード ▶ 行追加・削除／列追加・削除　　サンプル番号　02sec20

20 行や列の追加/削除

行または列を挿入したり、削除したりするのはとても簡単です。行番号または列番号を選択して、挿入・削除するだけです。なお挿入の場合は、既定では前の行または列の属性を引き継ぐ点を注視してください。

行を挿入する

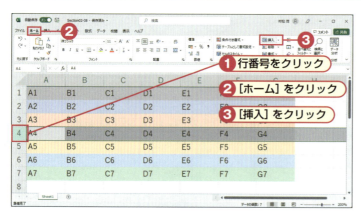

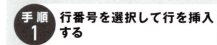
行番号を選択して行を挿入する

行番号をクリック（複数行ならドラッグ）して選択します。［ホーム］をクリックし、［挿入］をクリックします。

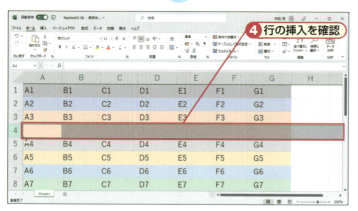

行が挿入された

選択した個所に新しい行が挿入されました。前の行の書式を引き継いでいます。

列を挿入する

手順1 列番号を選択して列を挿入する

列番号をクリック（複数列ならドラッグ）して選択します。[ホーム]をクリックし、[挿入]をクリックします。

1. 列番号をクリック
2. [ホーム]をクリック
3. [挿入]をクリック

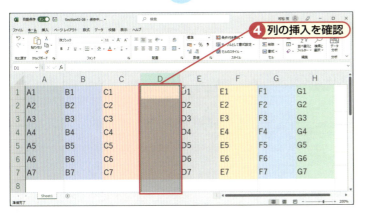

4. 列の挿入を確認

完成 列が挿入された

選択した個所に新しい列が挿入されました。前の列の書式を引き継いでいます。

メモ 挿入オプション

行または列を挿入すると、既定では前の行または前の列の書式を引き継ぎます。しかし挿入直後に表示される[挿入オプション]をクリックすると、書式の取り扱いが選択できます。

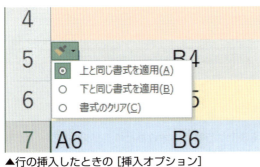

▲行の挿入したときの[挿入オプション]

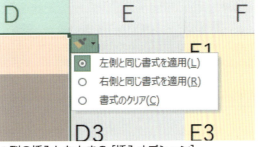

▲列の挿入したときの[挿入オプション]

表作成の基本を学ぼう

行を削除する

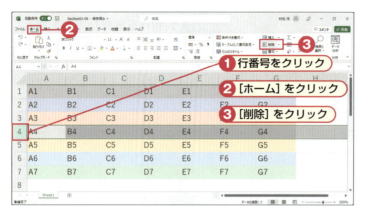

手順1 行番号を選択して行を削除する。

行番号をクリック（複数行ならドラッグ）して選択します。［ホーム］をクリックし、［削除］をクリックします。

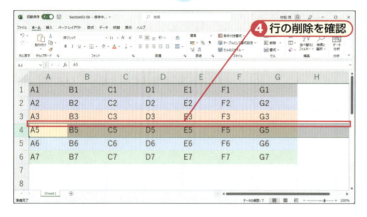

完成 行が削除された

選択した行が削除され、次の行以降が繰り上がりました。

行番号の表の順位のズレ

表に順位などのシリアル値を入れると、表タイトルの行や項目行が入るので、行番号とシリアル値は必ず一定のズレが生じます。このズレを頭に入れて作業しないと、勘違いして操作ミスを招きます。

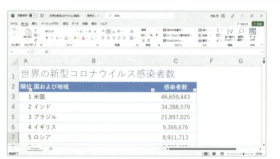

▲表では行番号と順位などのシリアル値は必然的にズレます

列を削除する

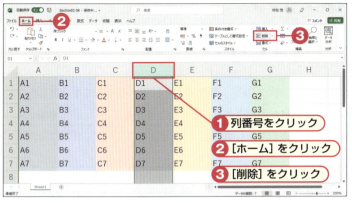

 手順1 **列番号を選択して列を削除する**

列番号をクリック（複数列ならドラッグ）して選択します。[ホーム]をクリックし、[削除]をクリックします。

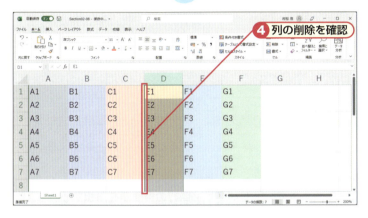

 完成 **列が削除された**

選択した列が削除され、次の列以降が繰り上がりました。

 行または列の削除は慎重に

行または列の挿入では書式を選択できる[挿入オプション]が表示されました。しかし行または列の削除ではこのような選択が不要なためオプションは表示されません。本書では操作前と後の状態をわかりやすく各セルにセル番地を入力し、行または列を色分けしていますが、通常の表では気づかないかもしれません。操作は簡単ですが、気をつけて実行しましょう。

▲通常の表では行または列の削除は目立たないので注意が必要です

SECTION キーワード▶行・列の非表示／再表示　サンプル番号　02sec21

21 行または列の非表示/再表示

行または列の削除と非表示は全く異なります。削除するとはデータはなくなってしまいますが、非表示にしてもデータを維持したままです。表の大きさを整えたり、途中集計の行・列を隠したり、非表示は様々な用途で使用します。

行を非表示にする

 行を選択する

行番号をクリック（複数行ならドラッグ）して選択します。［ホーム］をクリックし、［書式］をクリックします。

 行の非表示を選択する

［非表示/再表示］をポイントし、［行を表示しない］をクリックします。

 行が非表示になった

選択した行が非表示になりました。

列を非表示にする

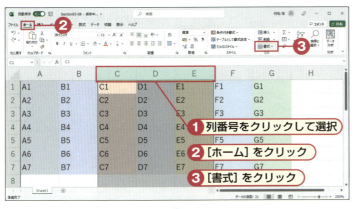

 手順 1 **列を選択する**

列番号をクリック（複数列ならドラッグ）して選択します。[ホーム]をクリックし、[書式]をクリックします。

 手順 2 **列の非表示を選択する**

[非表示/再表示]をポイントし、[列を表示しない]をクリックします。

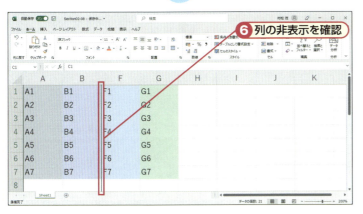

 完成 **列が非表示になった**

選択した列が非表示になりました。

非表示の行を再表示する

 手順1 非表示の行を含む行を選択する

非表示の行を含む行番号をドラッグして選択します。[ホーム] をクリックし、[書式] をクリックします。

 手順2 行の再表示を選択する

[非表示/再表示] をポイントし、[行の再表示] をクリックします。

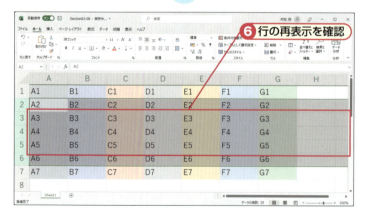

 完成 行が再表示された

非表示になっていた行が再表示されました。

非表示の列を再表示する

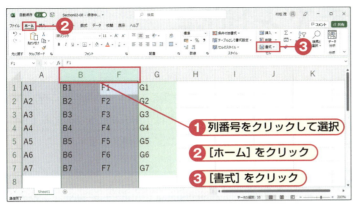

 手順1 非表示の列を含む列を選択する

非表示の列を含む列番号をドラッグして選択します。[ホーム] をクリックし、[書式] をクリックします。

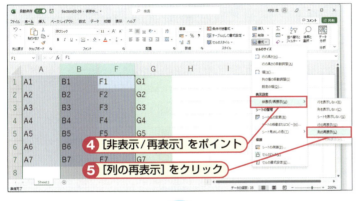

 手順2 列の再表示を選択する

[非表示/再表示] をポイントし、[列の再表示] をクリックします。

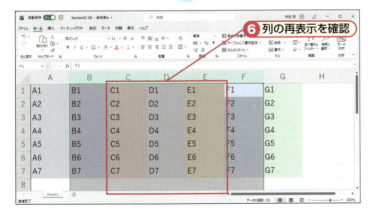

完成 列が再表示された

非表示になっていた列が再表示されました。

SECTION キーワード ▶ セル挿入・削除　　サンプル番号　02sec22

22 セルの挿入と削除

手順解説動画

従来のExcelではセルの挿入・削除の操作で上下（列）方向にシフトまたは左右（行）方向にシフトの選択肢が表示されました。しかしExcel 2021では上下方向にシフトするようになりました。左右方向にシフトするならショートカットメニューを使用します。

セルを挿入する

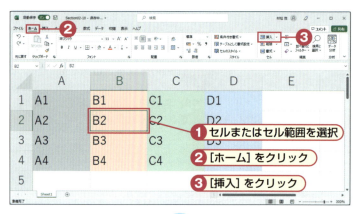

 セルを選択して挿入する

セルをクリックまたはセル範囲をドラッグして選択します。［ホーム］をクリックして、［挿入］をクリックします。

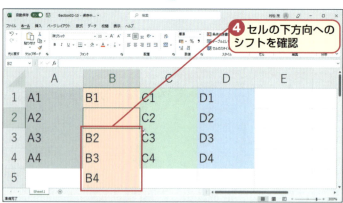

 セルが挿入された

セルが挿入され、挿入した箇所以降の列が下方向にシフトとしました。

セルを削除する

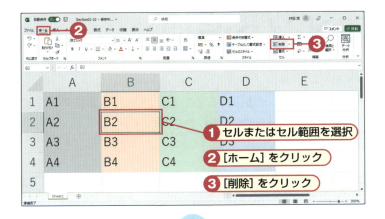

 セルを選択して削除する

セルをクリックして選択します。[ホーム]をクリックして、[挿入]をクリックします。

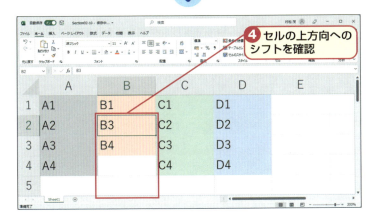

 セルが削除された

セルが追加され、追加した箇所以降の列が上方向にシフトとしました。

 左右方向のシフトは ショートカットメニューで操作

従来のExcelのように左右方向にシフトして挿入・削除をするなら、セルまたはセル範囲を右クリックして、[挿入]または[削除]を選択します。すると従来通りダイアログボックスが出現して、左右方向にシフトが上位に表示されます。

▲[挿入]ダイアログボックス

▲[削除]ダイアログボックス

SECTION キーワード▶コメント追加／メモ追加   サンプル番号 02sec23

23 セルのコメント追加

セルにはコメントを追加できます。共有して編集する場合など、コメントを追加すると、変更した理由などを入力できます。またメモは備忘録として活用できます。

セルにコメントを追加する

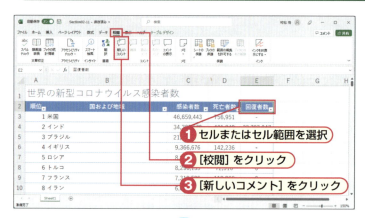

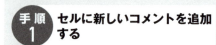
手順1 セルに新しいコメントを追加する

セルをクリックまたはセル範囲をドラッグして選択します。[校閲] をクリックして、[新しいコメント] をクリックします。

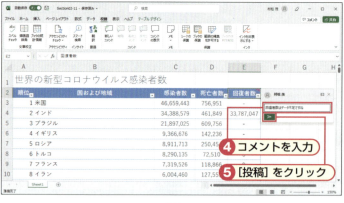

手順2 最後に [投稿] をクリックする

コメント欄に入力して、[投稿] をクリックします。

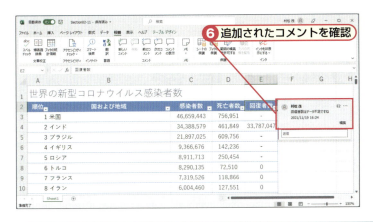

完成 セルにコメントが追加された

コメントが追加されました。

セルのコメントを表示する

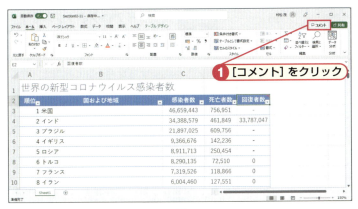

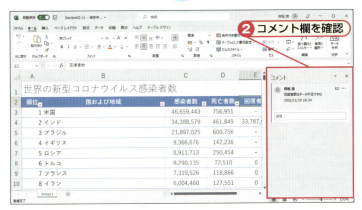

手順1 コメント欄を開く

右上の [コメント] をクリックします。

完成 コメント欄が表示された

右側にコメント欄が表示されます。

SECTION キーワード▶検索／置換　　サンプル番号 02sec24

24 データの検索と置換

データの検索と置換はセットの機能です。最初に検索する範囲を指定します。ワークシート全体を検索するなら先頭のセルに移動します。基本的にはすべて検索して、すべて置換するのが効率的です。しかし慎重を期すなら一つひとつ確認して置換します。

データを検索する

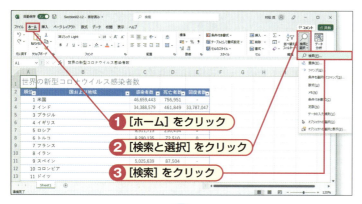

手順1　検索ダイアログボックスを開く

検索と置換は常にセットです。ワークシート全体を検索するならセルの位置にかかわらず、。[ホーム] をクリックして、[検索と選択] をクリックし、[検索] をクリックします。

時短　キーボードショートカットが便利

[Ctrl] + [F] キーを押すと、すぐに検索ダイアログボックスが起動します。

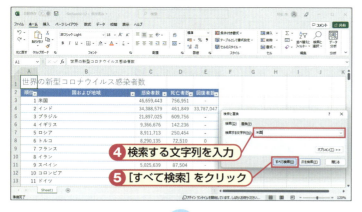

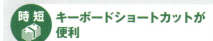
手順2　検索文字列を入力する

検索と置換ダイアログボックスの [検索] タブが開くので、検索する文字列を入力し、[すべて検索] をクリックします。

完成 検索結果が表示された

検索結果が表示され、セルが最初に検出されたセルに移動しました。

データを置換する

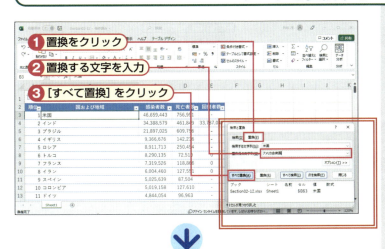

手順1 データを置換する

検索の結果が表示されたら、[置換]をクリックして、置換後の文字列を入力し、[すべて置換]をクリックします。

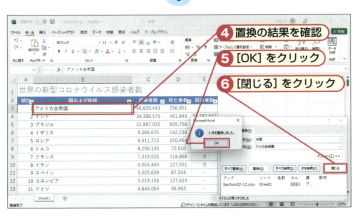

完成 データが置換された

置換された結果を確認し、[OK]をクリックします。次に[検索と置換]ダイアログボックスの[閉じる]をクリックします。

SECTION キーワード▶元に戻す／やり直し　サンプル番号 02sec25

25 操作を元に戻す・やり直す

操作を元に戻す、やり直すのはWindows共通の操作です。Excelでもほとんどの場面で使用できます。ワークシートに変更を加えると、はじめて［元に戻す］ボタンが有効になります。そして変更を元に戻すと、はじめて［やり直す］ボタンが有効になります。

ワークシートに変更を加える

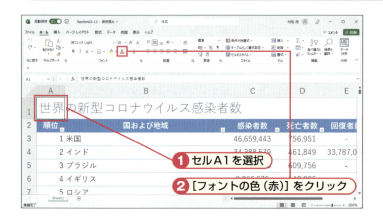

 ワークシートに変更を加える

ワークシートに変更を加えます。ここではセルA1のフォントの色を変更します。

操作を元に戻す

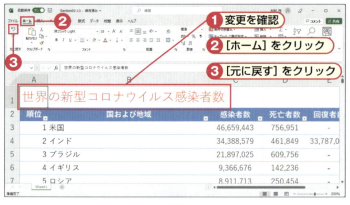

 変更を元に戻す

フォントの色が変更されました。［ホーム］をクリックして、［元に戻す］をクリックします。

 [Ctrl]＋[Z]キー

操作を元に戻す

完成 変更が元に戻った

変更個所が元に戻りました。

操作をやり直す

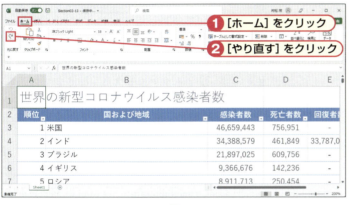

手順1 操作をやり直す

元に戻した後で、[やり直し]をクリックします。

完成 最初の変更がやり直された

最初の変更がやり直されました。

時短  [Ctrl]＋[Y]キー

操作をやり直す

Office 2021 発売直後に新しいデザインに変更

Microsoft Office 2021 は Windows 11 と同時に 2021年10月5日に発売されましたが、11月の時点で新しい外観に変更されました。

これは Windows 11 で導入された新しいデザインコンセプト「Fluent Design System」に基づいたものです。Excel ははじめとする Office アプリではタイトルバーのアプリの色がタイトルバー全面ではなくアクセントとして使用されています。

機能的の大きな変更は、クイックアクセスバーが既定で表示されなくなった点です。[設定]で変更できますが、クイックアクセスバーの位置がタイトルバーからリボンの下に移動になっています。

▲従来の外観

▲新しい外観

▲新しい外観でクイックアクセスバーを表示

また従来、クイックアクセスバーに既定で表示された[元に戻す][やり直し]の両コマンドは[ホーム]左端の元に戻す欄に配置されるようになりました。

 [Ctrl]+[Y]キーなら[やり直し]と[再実行]

Excelの[やり直し]は、[元に戻す]を実行して、はじめて有効になります。このやり直しは Windows の標準機能であるキーボードショートカットの[Ctrl]+[Y]キーにも割り当てられています。さらに[Ctrl]+[Y]キーには[元に戻す]とは別に[Redo](再び実行する)という機能があります。

つまり何かコマンドを実行した後で、別の個所で[Ctrl]+[Y]キーを押すと、同じコマンドが実行できます。これはセル、セル範囲、行、列に対して有効です。同じ操作を繰り返し使うなら覚えておいて損はないショートカットです。

▲同じコマンドを繰り返し使うなら[Ctrl]+[Y]キーが便利です

3章

データを素早く、
正確に入力しよう

表計算の基礎を学んだら、次は中身のデータを入力していきましょう。とはいえ、セル1つ1つにデータを手入力していくのは、とても時間がかかってしまって、大変な作業になります。この章では、Excelの便利な機能を使って、出来るだけデータを自動で、素早く、かつ正確に入力していく方法をご紹介します。

SECTION キーワード▶オートコレクト　　サンプル番号　03sec26

26 入力を効率化する機能を使う

「毎回入力している長文をもっと手軽に入力出来たら」と思ったら、オートコレクト機能を使ってみましょう。事前に入力したい長文を登録し、その略称を決めることで、少しの文字で長文を入れることができます。

オートコレクトを使う

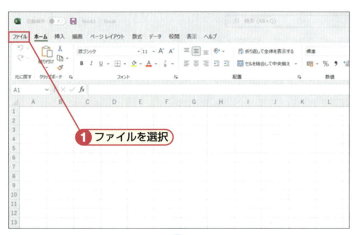

 ファイルを選択

 ブックを開きファイルを選択する

Excelを起動し、空白のブックを開き、メニューの中からファイルを選択します。

 「オプション」をクリックします。

左側の緑のバーの下のほうにある「オプション」をクリックします。

 オプションのショートカットキー

オプションのダイアログのショートカットキーは、Alt→T→Oの順で押すことです。ファイルで画面を切り替えるのをショートカットできるので便利です。多用する場合には覚えてしまいましょう。

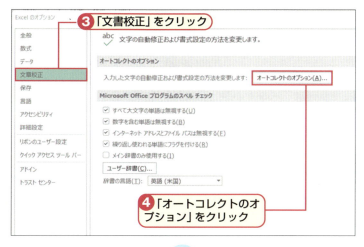

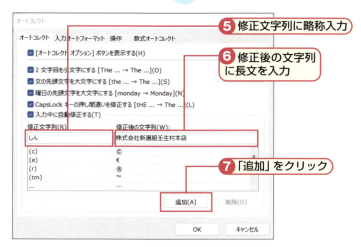

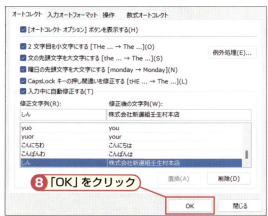

手順3 「オートコレクトのオプション」をクリックする

「Excelのオプション」が開きます。左側の列から「文章校正」を選び、右に表示された中から「オートコレクトのオプション」をクリックします。

手順4 「修正文字列」の枠に、略称を入力する

オートコレクトが開きます。下部分にある「修正文字列」の下に枠に略称を入れます。ここでは「しん」と入力してみました。続けて「修正後文字列」に登録したい長文を入力します。ここでは「株式会社新選組壬生村本店」と入力してみました。入力が終わったら「OK」をクリックしてオートコレクトを閉じます。

手順5 「OK」を押し「オートコレクト」を閉じる

入力が終わったら、内容を確認して「OK」を押し、「オートコレクト」を閉じます。

メモ 英語を進んで登録しよう

既に登録されている文字列も見てみましょう。見てみると英語や記号が多いです。特に英語表記は間違うことが多いので、会社名などの英語表記の登録をお勧めします。また珍しい記号を使う場合にも便利です。

手順6 「OK」を押し「Excelのオプション」を閉じる

「OK」を押して「Excelのオプション」画面を閉じ、ブックに戻ります。

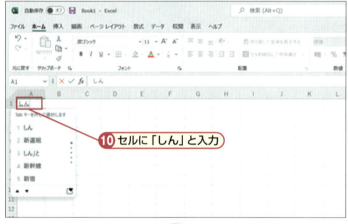

手順7 実際に略称をセルに入力してみる

ここまでで設定は完了です。それでは実際にセルに略称を入力して行きましょう。ここでは「しん」と入力してエンターキーを押します。

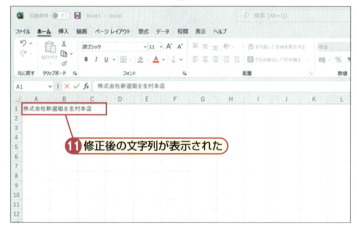

完成 略称が変更されたことを確認する

「修正後の文字列」が正しく表示されたことを確認します。

オートコレクトを修正する

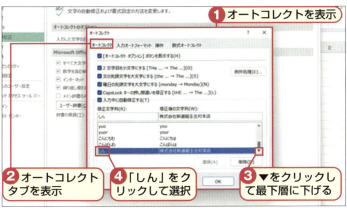

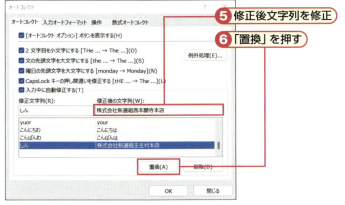

 追加したオートコレクトを選択する

画面左上にある「ファイル」→「オプション」→「文章校正」をクリックし、オートコレクトを表示します。オートコレクトの入力画面の左下にある▼をクリックして、最下層にある「しん」を選択します。

 略称は2文字以上がおすすめ

略称は1文字でも可能ですが、1文字打っただけで出てしまうと、通常の入力に支障が出ることがあります。できれば2文字以上で、通常の入力で出てこない略称を指定しましょう。

 文字を修正する

「修正文字列」と「修正後文字列」が入力枠に表示されるので、文字を修正します。ここでは修正後文字列を「株式会社新選組西本願寺本店」に変更します。

 「はい」をクリックして再定義する

再定義（置換）の注意が表示されるので「はい」をクリックします。

 改行は出来ない

よくメールの定型文などをオートコンプリートに入れたくなりますが、改行のついたものは登録ができません。改行のいらない文章を登録しましょう。

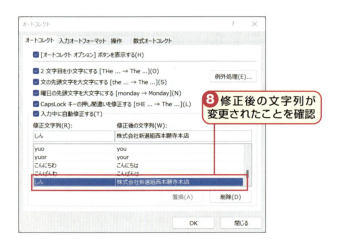

完成 修正後の文字列が変更されたことを確認する

修正後の文字列が置き替えられました。実際にセルに入力して表示に問題がないか確認をしてみましょう。

オートコレクトを削除する

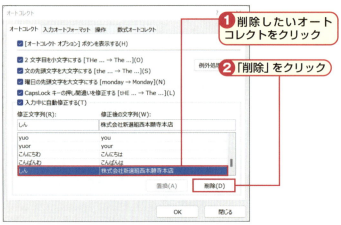

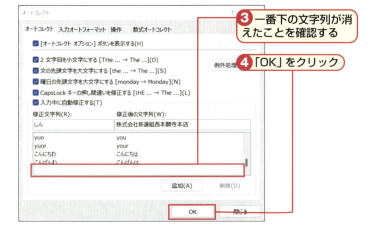

手順1 削除したいオートコレクトを選択する

削除したいオートコレクトを選択してから、「削除」ボタンをクリックし、「OK」をクリックします。

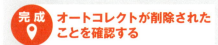
完成 オートコレクトが削除されたことを確認する

オートコレクトが削除されたことを確認してみましょう。

時短 WordやPowerPointでも使える！

オートコレクトのこの機能は、Excel、Word、PowerPointのどれかで登録して置くと、他のOfficeソフトにも反映されて、例えば、Excelで登録したものがWordでも入力時に使用することが出来ます。積極的に使って時短していきましょう。

解除すると逆に便利なオートコンプリート

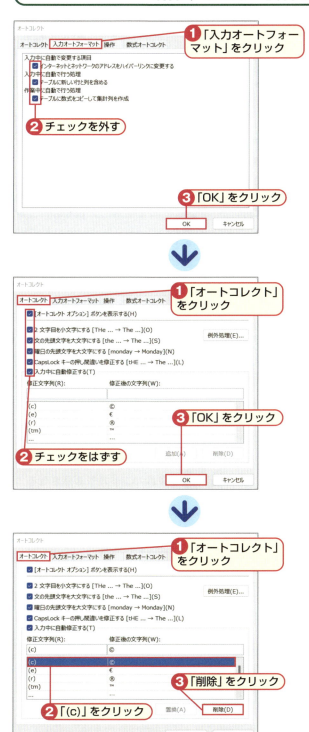

手順1 使ってて面倒な機能はオフ！

使っていて面倒だなと思う機能があれば、オフにしておくのも手です。ここではその一例を紹介します。まずはメールアドレスやURLに、ハイパーリンクが自動でつけられてしまう機能をオフにする方法です。入力オートフォーマットタブを選択して、一番上の「インターネットとネットワークのアドレスを班パーリンクに変更する」のチェックをはずして、「OK」をクリックします。

手順2 文の先頭を大文字にしない設定

半角英数を入力しようとすると、勝手に先頭文字を大文字にされてしまいます。その点が不便な場合には、「オートコレクト」タブをクリックし、上から3つ目の「文の先頭文字を大文字にする」のチェックを外し、「OK」をクリックする。

手順3 記号に自動変換されるのを止める

例えばExcelで(c)とすべて半角英数で入力すると、©（コピーライトマーク）と記号に自動で変更されてしまいます。そんなときは「入力中に自動修正をする」の中から「(c)」をクリックして「削除」をクリックします。

メモ 他の項目もチェックしてみよう

ここでは代表的な3つを紹介しましたが、他の項目もよく見てみましょう。自分の使い方に合わない場合には、チェックを外して、より便利に使っていきましょう。

SECTION キーワード▶セルのコピー/フィルハンドル　　サンプル番号　03sec27

27 セルのコピーはドラッグ操作でやる

同じセルの内容を縦横にコピーしたい時、フィルハンドルが便利です。フィルハンドルはセルを選択した時に少し太い黒い十字マークのことで、すでに見たことがあるのではないでしょうか。ここではフィルハンドルの便利な使い方を学んでいきましょう。

フィルハンドルでコピーする

❶ B2のセルをクリックして選択

 手順1 数字の入力されたセルを選択する

ここでは表にすべて同じ金額を入力したいと思います。まずは180と数字の入ったB2のセルをクリックして選択します。

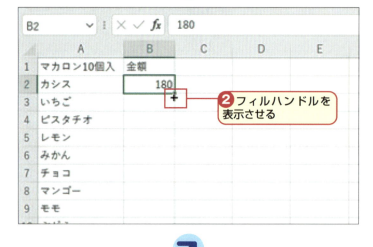

❷ フィルハンドルを表示させる

 手順2 フィルハンドルを表示させる

セルの右下にカーソルを合わせ黒い十字のフィルハンドルを表示させます。

 メモ この十字マークは違います

Excelのカーソルではこちらの図の十字マークもありますが、このマークはフィルハンドルではありません。同じ十字マークなのでフィルハンドルと間違えやすいです。気を付けましょう。

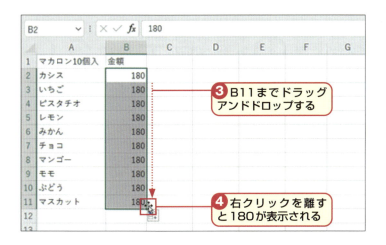

 フィルハンドルをドラッグする

フィルハンドルを表示させたら、右クリックして下の方向にB11までドラッグアンドドロップします。

フィルハンドルをダブルクリックする

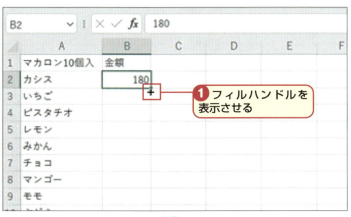

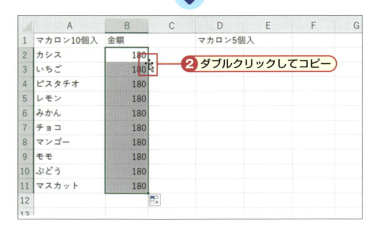

 フィルハンドルを表示させる

セルの右下にカーソルを合わせ、フィルハンドルを表示させます。

 ダブルクリックする

フィルハンドルが表示された状態でWクリックをする。表の下までコピーされる。

 ダブルクリックでコピーは便利

フィルハンドルのダブルクリックはとても便利です。データが下に長くて、ドラッグしていくのが大変な時が、特に便利さを感じると思います。同じデータを連続して入力する場合には、ぜひ使ってみましょう。

SECTION　キーワード▶オートフィル/連番入力　サンプル番号　03sec28

28 日付や曜日の連続データの自動入力

手順解説動画

「1つ1つ入力しなくても連番や曜日、月が自動で入力出来たら」と思うことは多いと思います。ここでは、すでにExcelに備わっている連続データの入力方法を学びましょう。前回学んだフィルハンドルを使って自動入力をしていきます。

オートフィルを使って連続データを入力する

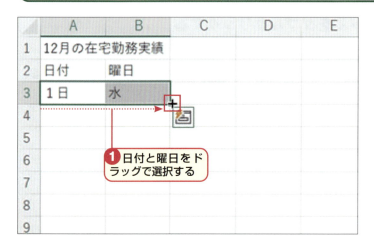

 手順1　日付と曜日を選択する

セルをドラッグして2つのセルを選択します

 メモ　2つ一度にしなくても可能！

例では日付と曜日を一緒に、連続データとして入力していますが、もちろん片方でも連続データで登録することが出来ます。場合によっては連続データにならない場合もあるので、その時は、次のページのオートフィルのオプションを使って、連続データを選択しましょう。

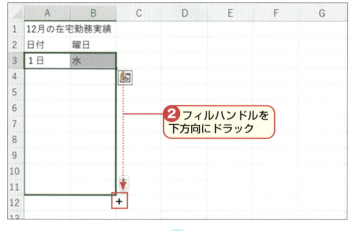

 手順2　フィルハンドルを表示させドラッグする

例では日付と曜日を一緒に、連続データとして入力していますが、もちろん片方でも連続データで登録することが出来ます。場合によっては連続データにならない場合もあるので、その時は、次のページのオートフィルのオプションを使って、連続データを選択しましょう。

日付と曜日が表示される

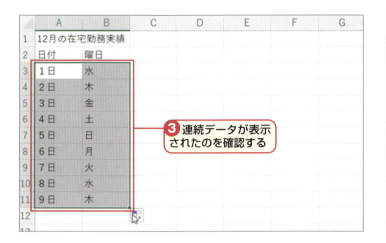

日付と曜日が正しく連続データで表示されたことを確認します。

連続データをせずコピーする場合

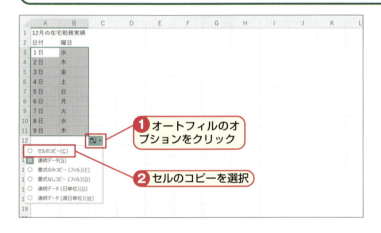

手順1 オートフィルのオプションをクリックする

セルの右下に表示される四角のアイコン、オートフィルのオプションをクリックします。

メモ さまざまなオートフィル

オートフィルにはここで紹介した以外にも、いくつか機能があります。特に書式のみコピー、書式なしコピーは便利な機能なので、必要に応じて使えるよう、そんな便利な機能があることを、覚えて置きましょう。

裏技 様々な連続データを便利に使おう

連続データには様々なパターンが最初から登録されています。次の章でパターンを登録する方法を学んでいきます。

3 データを素早く、正確に入力しよう

SECTION　キーワード▶ユーザー設定のリストの編集　サンプル番号　03sec29

29 支店名や商品名を自動入力する

日付や曜日の連続データを学んで、「ここにマイルールが適用出来たら便利にできるのに」と思った方もいるのではないでしょうか。ここでは事前にマイルールを入力して置くことで自動入力をする方法を説明していきます。

連続データにマイルールを登録しておく

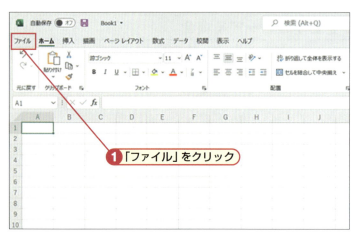

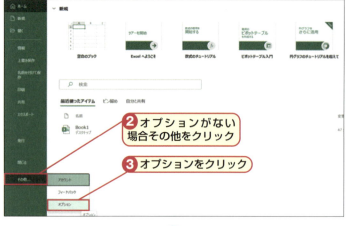

手順1　「ファイル」をクリックする

空白のブックを開き、左上の「ファイル」をクリックします。

手順2　「オプション」をクリックする

左下にある「オプション」をクリックします。オプションが隠れている場合には図のようにその他をクリックしてから、オプションをクリックします。

メモ　オプションが表示されていない場合もある！

手順2で説明したように、オプションは常に表示されているものではありません。「オプションがない！」場合には手順2の方法で、オプションを表示させましょう。またオプションのダイアログのショートカットキーは、Alt→T→Oの順で押すことです。オプションが見当たらない場合でも、ショートカットキーは有効です。

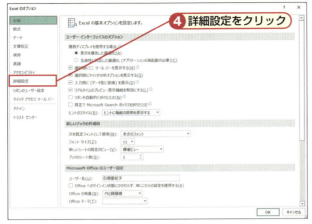

 手順3 左側のメニューから詳細設定を選択する

Excelのオプションが開きます。左側に並んでいるメニューから「詳細設定」をクリックします。

 手順4 ユーザー設定リストの編集をクリックする

右側のバーで下のほうまで下げていきます。「ユーザー設定リストの編集」ボタンをクリックします。

 時短 ショートカットでひと飛び

「ユーザー設定のリストの編集」までは、バーを下まで下げていく必要がありますが、Alt+Oで「ユーザー設定のリストの編集」まで一気に移動することもできます。「ユーザー設定のリストの編集」がうまく見つからない場合にも有効です。

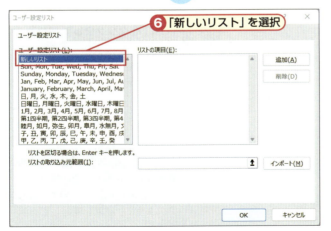

 手順5 「新しいリスト」を選択する

ユーザー設定リストの編集ダイアログが開くので、左側の枠の中にある「新しいリスト」を選択します。

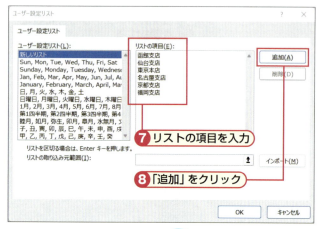

 手順 6　リストの項目を入力して「追加」をクリック

右側の枠にリストの項目を入力していきます。ここでは例として支社名を数個入力しました。入力が終わったら「追加」をクリックします。

 注意　リストの項目はエンターキーで入力

リストの項目は、エンターキーで下方向に追加入力していくことが可能です。したがって改行の入った項目は、入力出来ません。また、並び順もここに表示された通りになるので、注意しましょう。

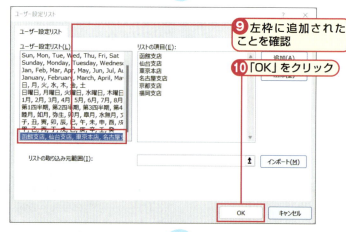

 手順 7　ユーザー設定リストに追加されたことを確認

左側の枠最下層に、新しく入力したリストが追加されていることを確認します。確認ができたら、「OK」をクリックしてダイアログを閉じます。

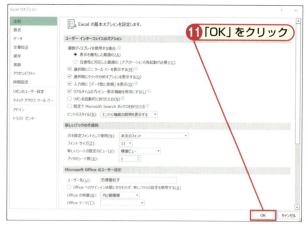

 手順 8　「OK」をクリックして閉じる

Excelのオプション画面を「OK」をクリックして閉じます。

 メモ　他の項目も見てみよう！

Excelのオプション画面には、他にも便利な設定機能が、たくさん並んでいます。時間があれば、ここで他の設定を見て、自分が使いやすいように、設定を変更してみましょう。

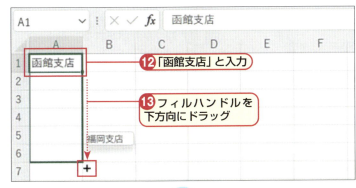

 連続データを早速使ってみる

登録したリストを早速使ってみます。「函館支店」と登録して、フィルハンドルを使って下方向にドラッグします。

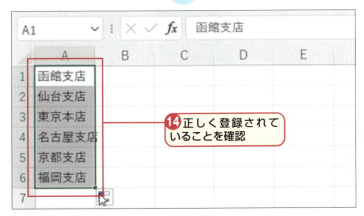

 正しく登録さているか確認する

データが正しく登録されているか内容を確認します。

 起点となる文字は短いほうがいい?

ユーザー設定のリストは起点を入力することで、発動します。いつも一番に来る項目、この例では「函館支店」になりますが、ここが長い場合には毎回打つのが大変になってしまいます。どうしても長い場合には、すでに学んだオートコレクトを使って、略称をつけて時短してみましょう。

元々あったデータを使ってリストを作成する

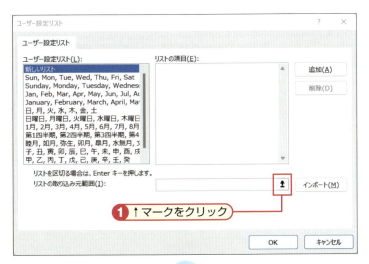

 ↑アイコンをクリック

元々あるリストを登録したい場合にも、途中まで作業は同じです。「ファイル」→「オプション」→「ユーザー設定リストの編集」を選び、リストの登録画面を表示します。先ほど入力したリスト項目の下にある枠の「↑」マークをクリックします。

 ↑マークはインポートのマーク

ここで使われている↑マークは、インポートによく使われるマークです。このマークがある場所では、すでにあるリストを活用することが出来ます。他の場所でこのマークを見かけた場合には、チャンスだと思って活用してみてください。

②カーソルをバーの左端の置きクリック

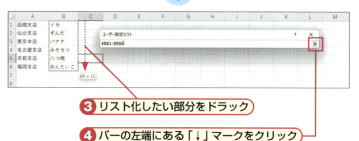

③リスト化したい部分をドラック

④バーの左端にある「↓」マークをクリック

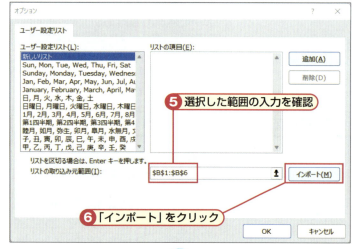

⑤選択した範囲の入力を確認

⑥「インポート」をクリック

手順2 ユーザー設定リストのダイアログが表示される

「ユーザー設定リスト」細い入力バーが表示されるので、カーソルを一度バーの左端に合わせてクリックします。

手順3 リスト化したい部分をドラックする

リスト化したい部分をドラックで選択します。例の場合B1からB6までの商品名を選択しています。選択することでユーザー設定リストのバーに範囲を表す数値が自動で入力されます。完了したらバーの右端にある「↓」マークをクリックします。

手順4 インポートをクリックする

細いバーが閉じて、先ほどのオプション画面に戻ります。選択した範囲が入力されていることを確認して「インポート」をクリックします。

メモ データは別ファイルでも問題なし

データをインポートしてリスト化したい場合には、インポートしたいデータを開いて行いましょう。設定はExcelに保存されるので、リストを使いたいファイルと、インポートするリストは別のファイルでも問題ありません。新しく開いた別のExcelファイルでもリストを使用することが出来ます。

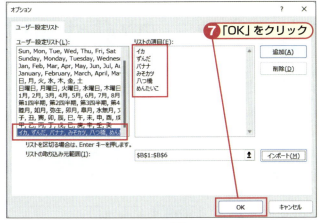

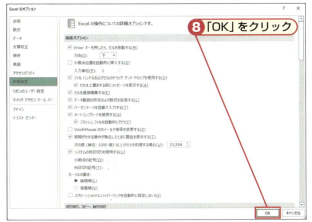

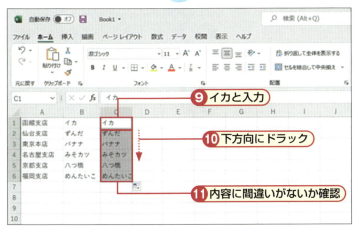

 **項目に追加された**

リストの項目に内容が追加されたことを確認して、「OK」をクリックします。

 ここで修復も可能！

ここでリストの項目を確認して、「あれ？違う？」と思ったときには、リストの項目を直接編集することで、修正することが可能です。後からの修正が大変なので、最終確認は項目が多くても必ずしましょう。

手順5 「OK」をクリックする

Excelのオプションに戻るので「OK」をクリックして閉じます。

 作成したリストを使う

早速作成したリストを使ってみましょう。ここではC2に「イカ」と入力して、下方向にドラッグします。

SECTION　キーワード ▶ フラッシュフィル　　　サンプル番号　03sec30

30 入力方法をパターン化して自動入力するには

手順解説動画

フラッシュフィルは入力内容に法則性を察すると、データを自動的に法則性に則って入力してくれるとても便利な機能です。場合によっては計算式や関数を使うよりも簡単です。ここでは代表的な使い方を紹介します。

フラッシュフィルを使って氏名を1つのセルに入力する

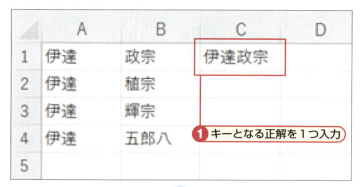

❶ キーとなる正解を1つ入力

手順1 法則性のキーを入力する

まずは法則性のキーとなる正解を1つ入力してみましょう。例の場合は、伊達と政宗を1つにしたいのでC1のセルに伊達政宗と入力します。

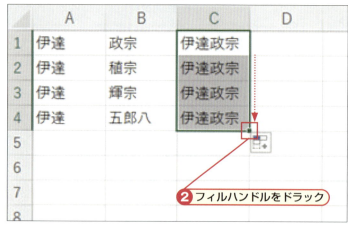
❷ フィルハンドルをドラック

手順2 フィルハンドルをドラックする

伊達政宗と入れたC1のセルの左下に出るフィルハンドルを下方向にドラックします。ここではセルがコピーされ、伊達政宗が下まで並んだ状態になります。

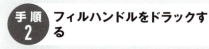
注意　氏名を分けるのは要注意

例えば、1つの氏名を2つの列に分けたい場合には、少し注意が必要です。氏名が3文字の場合などは、うまく分けることが出来ないことがあるからです。分ける際にはその点によく注意して、フラッシュフィルの後にデータの見直しを必ず行いましょう。

手順3 フラッシュフィルを選択

フィルハンドルの下に現れた四角いアイコンの「オートフィルのオプション」をクリックします。選択肢の中に「フラッシュフィル」があるので、「フラッシュフィル」をクリックして選択します。

❸「オートフィルのオプション」をクリック

❹「フラッシュフィル」をクリック

完成 フラッシュフィルの内容を確認する

フラッシュフィルを使った結果が表示されます。内容が正しくなっているか確認をします。

❺ 内容を確認

メモ リボンからもフラッシュフィルが可能

例では、ショートカットした時短の方法を説明しています。上部のリボンの中から行う場合には、フラッシュフィルは、データタブの中にある、データツールの中にアイコンがあります。オートフィルのオプションが消えてしまった場合などは、リボンから行うことができます。

データを素早く、正確に入力しよう

裏技 様々なフラッシュフィルを試してみよう！

フラッシュフィルは様々な法則性を察してくれます。

・内線番号を電話番号に変更
・メールアドレスの@より前をコピー
・3つに分かれている住所を1つにする

これは一例ですが、他にもいろいろな場面で使うことができます。「これはフラッシュフィルが察してくれるかもしれない」と思ったら、ぜひ試してみてください。

また、1つ入力してフラッシュフィルが動かない場合、2つ入力してからフラッシュフィルを動かしてみると反応してくれる場合が多いです。

E	F	G	H
8551	090-0000-8551		
1212	090-0000-1212		
1333	090-0000-1333		
1444	090-0000-1444		
aaa@excel.com	aaa		
bbb@excel.com	bbb		
ccc@excel.com	ccc		
ddd@excel.com	ddd		
宮城県	仙台市	青葉区川内1	宮城県仙台市青葉区川内1
東京都	千代田区	千代田1-1	東京都千代田区千代田1-1
愛知県	名古屋市	中区本丸1-1	愛知県名古屋市中区本丸1-1
兵庫県	姫路市	本町68	兵庫県姫路市本町68

SECTION キーワード▶データの入力規則　サンプル番号　03sec31

31 入力時のルールを決めておくと便利

例えば物を注文する際に、100個注文するはずが1000個注文してしまったら、一大事になります。そんな時には事前に何個以上は注文させないといったルールを適用しておくことで回避できます。ここではそんな入力規則の方法を学んでいきましょう。

入力規則を使って入力を制限する

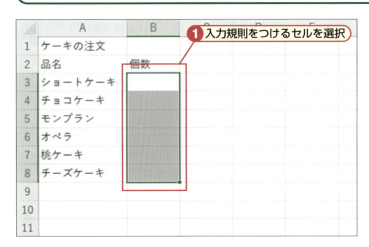

 手順1 必要なセルを全て選択する

入力規則の必要なセルをすべてドラックで選択します。ここではケーキの個数に規則をつけたいのでB3からB8までを選択します。

便利技 必要なセルは飛び地でも可能

例とは違って必要なセルが離れている場合には、ctrlキーを押しながら、セルをクリックして選択していき、手順2に進みましょう。飛び地であっても選択は可能です。

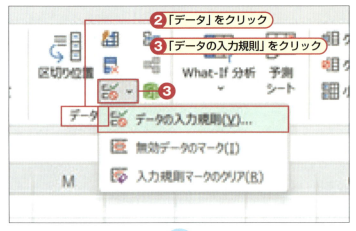

 手順2 データの入力規則を選択する

左上のメニューから「データ」を選択し、「データツール」の中にある「データの入力規則」をクリックします。

112

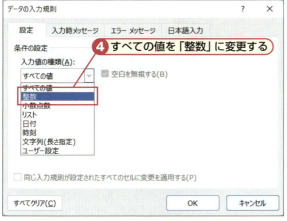

④ すべての値を「整数」に変更する

⑤ 最小値に「1」と入力
⑥ 最大値に「100」と入力
⑦「OK」をクリック

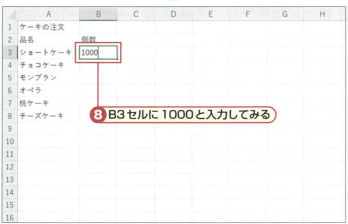

⑧ B3セルに1000と入力してみる

手順3 規則を入力する

データの入力規則が表示されます。入力値の値がすべてになっているのでここを「整数」に変更します。

手順4 最小値と最大値を入力する

このセルに入力していい最小値と最大値を入力します。例の場合、ケーキは1個からなので最小値は1、最大値は100個までとして100と入力します。入力が終わったら「OK」を押して閉じます。

メモ 入力値の種類はさまざま

入力値には整数以外にも様々な種類があります。日付を選ぶと日付以外入力出来なくなり、文字列を選択すると文字列しか入力できなくなります。状況に応じて、入力規制を使っていきましょう。

手順5 試しに1000個入力してみる

入力規則をつけたセルに試しに1000個が入力できるか試してみましょう。セルB3に1000と入力します。

 正しくエラーが表示されるか確認する

1000と入力して別のセルを選択しようとすると、入力規則がエラー表示をして、入力がキャンセルされます。

メモ 便利な入力規則

ここで紹介した入力規則は1つの例ですが、「半角英数以外登録させない」などさまざまな規則を設定することができます。いろいろ試して便利に使いましょう。

入力規則を解除する

 入力規則を解除する

データの入力規則を設定したセルを選択した状態で、もう一度左上の「データ」を選択「データツール」の中にある「データの入力規則」をクリックします。データの入力規則が開いて今の規則が表示されたら、「すべてクリア」を押すことで解除することができます。

入力規則のメッセージをオリジナルにする

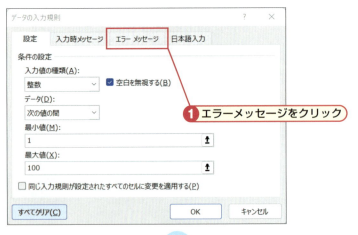

 「エラーメッセージ」を設定する

エラーメッセージが何を言っているのかわかりにくい場合、オリジナルのエラーメッセージを表示することができます。わかりやすいエラーメッセージを作成しましょう。データの入力規則を設定したセルを選択した状態で、もう一度左上の「データ」を選択「データツール」の中にある「データの入力規則」をクリックします。データの入力規則が開いて今の規則が表示されたら、「エラーメッセージ」をクリックします。

② 注意を選択

 手順2 スタイルを注意に変更する

スタイルの下にある選択肢から、ここでは注意を選んでみましょう。

 マークも変わります。

スタイルを変更するとその下にあるアイコンも変更され、エラーメッセージのアイコンも変更されます。

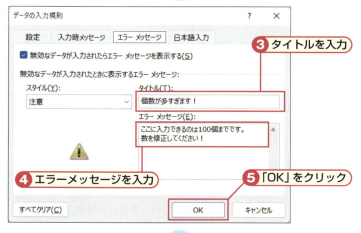
③ タイトルを入力
④ エラーメッセージを入力
⑤「OK」をクリック

 手順3 タイトルとエラーメッセージを入力

タイトル欄とエラーメッセージ欄に、わかりやすい文章を入力します。ここでは例としてタイトルに「個数が多すぎます！」メッセージ欄には「ここに入力できるのは100個までです。数を修正してください。」と入力します。入力が完了したら「OK」を押します。

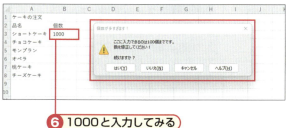
⑥ 1000と入力してみる

 手順4 試しに1000と入力してみる

B3セルに試しに1000と入力してみます。すると図のようにわかりやすいオリジナルのエラー表示を出すことができます。

 一時的に1000個入力したい場合には？

入力規則の数を修正することで、1000個入力することが可能です。設定したセルを選択し、入力規則をクリックして、数を1000個までに修正し、OKを押して設定します。

データを素早く、正確に入力しよう

SECTION　キーワード ▶ ドロップダウンリスト　サンプル番号　03sec32

32 ドロップダウンリストを作ってデータを素早く入力するには

特に1つのファイルを共有している場合、文字列の表記の揺れが起きやすいです。例えば氏名1つにしても、間のスペースが半角だったり全角だったりなかったりと、様々です。そんな時にはドロップダウンリストで入力できる文字を制限してしまいましょう。

入力規則のリストを使って、データを素早く正確に入力する

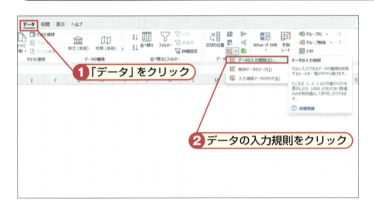

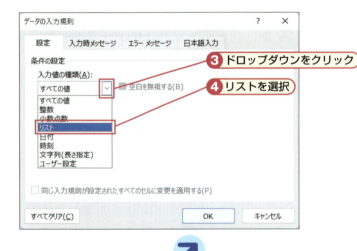

 手順1　データの入力規則を選択する

ドロップダウンを表示したいセルを選択し左上のメニューから「データ」を選択する。
「データツール」の中から「データの入力規則」をクリックします。

 時短　入力規則のショートカットキー

データの入力規則のショートカットキーは、Alt→D→Lです。多用する場合には覚えてしまいましょう。

 手順2　リストを選択する

入力値の種類が「すべて」になっているので、ドロップダウンリストから「リスト」を選択する

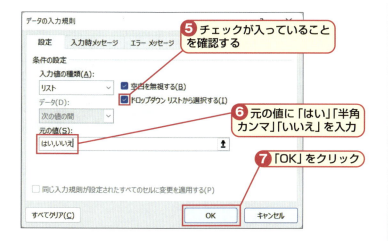

 はい、いいえと入力する

「ドロップダウンリストから選択する」にチェックが入っているか確認をして、「元の値」の欄に、「はい」「半角カンマ」「いいえ」を入力します。
入力が済んだら「OK」をクリックします。

 半角カンマで区切る

はい、いいえ以外にも、半角カンマで区切っていくと、どんどんいろんな項目を増やすことができます。またもう一度同じ範囲を選択して、入力規則を押すと、半角カンマで増やせる以外にも、項目の内容を修正することができます。

 ドロップダウンリストが表示される

図のようにドロップダウンリストが表示され、このセルでは「はい」か「いいえ」しか選択できないようになります。セルだけではなく範囲や列、行でもドロップダウンを表示することは可能です。
また半角カンマを入れて増やすことで他の選択肢を入れることも可能です。

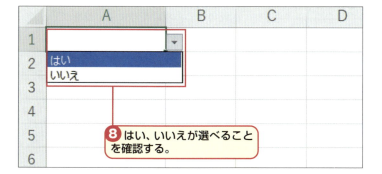

元々あるリストを、ドロップダウンリストにする

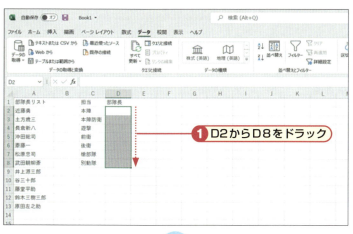

 ドロップダウンリストを表示するセルを選択する

ドロップダウンリストを表示したいセルを選択します。例の場合は、D列に表示したいので、D2からD8を選択します。

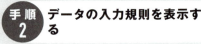

手順 2　データの入力規則を表示する

左上のメニューから「データ」を選択、「データツール」の中から「データの入力規則」をクリックします。入力値の種類は先ほどと同じ「リスト」を選択します。「ドロップダウンリストから選択する」にチェックが入っていることも確認します。

手順 3　元の値の↑マークをクリックする

元の値の右端にある↑マークをクリックして、リストを作成していきましょう。

 データの選択方法について

元の値は、他のシートにある文字列や数字を選択することも可能ですが、他のファイルを選択することはまだできないようです。今回の例では同じシート内のデータを元の値として選択していましたが、別シートにリストを作って参照したほうが、表がスマートで見やすくなります。

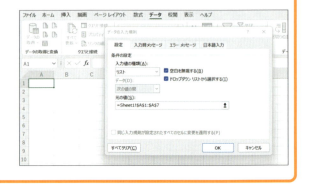

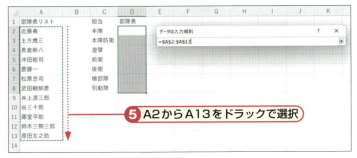

 リスト化したいデータをドラックする

細長いバーが表示されたら元々あるリストをドラックして選択しましょう。例の場合ですとA2からA13までを選択します。

 細いバーの↓をクリックして閉じる

長細いバーにセルの情報が入力されたら、右端にある↓マークのボタンをクリックして閉じます。

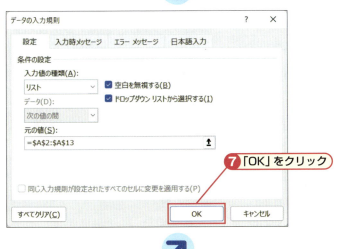

 元の値を確認して「OK」をクリックする

元の値にセルの値が入力されていることを確認して、「OK」をクリックして閉じます。

 元の値は何を意味しているのか

この例で元の値が表しているのはA2からA13までですが、「＄A＄2：＄A＄13」という文字に置き換わっています。これは、A2を左右上下に動かさずに固定、から、A13を左右上下に動かさずに固定、という意味で＄が書かれているためで、言葉にするとA2からA13までと同じ意味になっています。

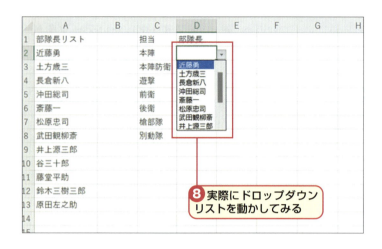

完成 実際にドロップダウンリストを確認する

実際にドロップダウンリストが表示されるか確認してみます。D2をクリックするとドロップダウンが表示されます。

ドロップダウンリストを追加する

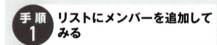
手順1 リストにメンバーを追加してみる

部隊長リストに2人を追加登録し、データの入力規制のかかっているD2からD8までをドラックで選択します。

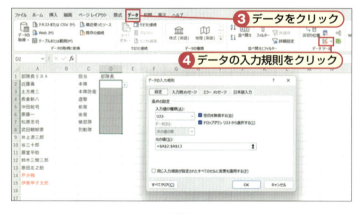

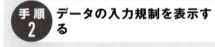
手順2 データの入力規制を表示する

セルを選択したままの状態で、左上のメニューから「データ」を選択、「データツール」の中から「データの入力規制」を表示すると、現在セルに施されている入力規制が表示される。

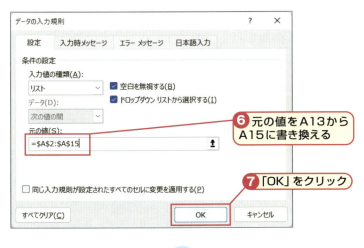

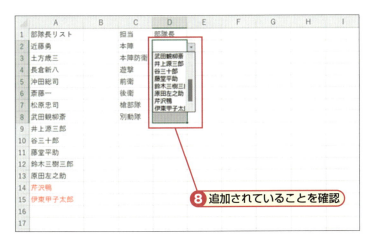

手順3 元の値を変更する

元の値にカーソルを合わせると点線で囲いが表示され、元の値がA2からA13までを選択していることがわかります。

手順4 元の値を増やしてみる

元の値をA2からA15に変更します。3を5に書き換えるだけでもできますが、一度元の値を全て消してドラックし直すことでも変更できます。完了したら「OK」を押します。

メモ 数字でうまく修正しにくい場合

元の値を数字で修正することに抵抗がある場合には、初回と同じようにドラックですべての値を選択してしまうという手もあるので、覚えて置きましょう。そちらのほうが簡単という人も多いです。どちらでもやりやすい方法で行ってください。

完成 実際にドロップダウンリストで確認する

実際にドロップダウンリストを表示させて正しく追加が行われているかを確認します。

SECTION　キーワード ▶ クリップボード　　サンプル番号　03sec33

33 複数データを コピーしておくと便利

作業を進めていると、もっとコピーをたくさん保管して置けたらと思うことも多いと思います。そんな時に便利なのは「クリップボード」です。クリップボードを便利に使って、データをより正確に手早く入力していきましょう。

クリップボードを使う

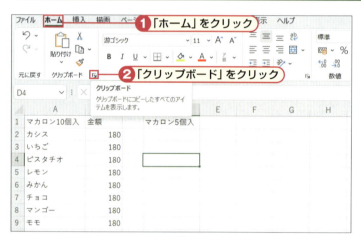

 クリップボードを開く

画面左上のメニューから「ホーム」をクリック、続けて「貼り付け」の右下にある斜め矢印マークをクリックすると、「クリップボード」が開きます。

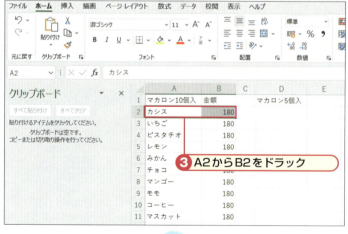

 「カシス」「180」をセットでコピーする

「カシス」と「180」をコピーします。A2とB2をドラッグで選択します。

手順3 右クリックでコピーする

A2からB2を選択した状態で、右クリックで出たメニューの中から「コピー」をクリックで選択します。

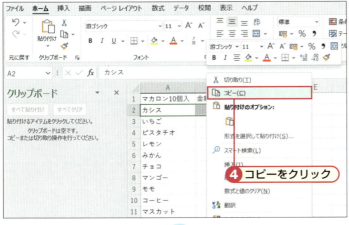

 手順4 クリップボードを確認する

クリップボードに「カシス」「180」が、セットで貼り付けられていることを確認します。

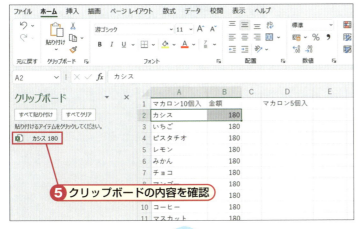

 手順5 同じように計5個コピーを繰り返す

同じようにコピーを繰り返し、計5個コピーします。クリップボード5つ貼り付けられているか、確認をします。

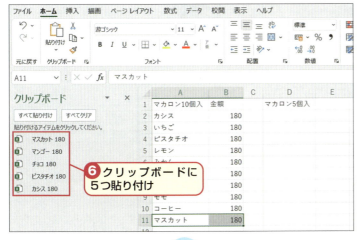

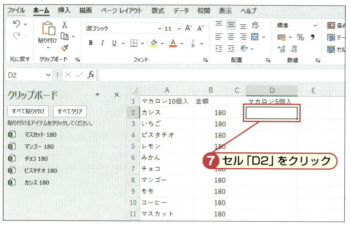

 貼り付けたい場所を選択する

コピーした内容を貼り付けたい場所、この例では「D2」のセルをクリックします。

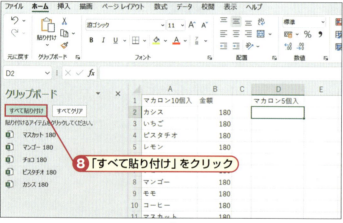

 「すべて貼り付け」をクリックする

クリップボード中にある「すべて貼り付け」をクリックして、クリップボード内容をすべて選択した場所に貼り付けをします。

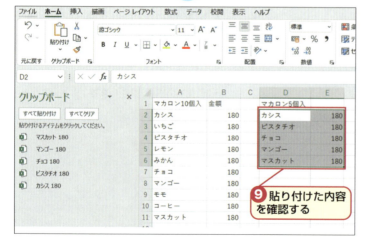

 貼り付け完了を確認する

クリップボードにあったデータがすべて貼り付けられているか確認を行います。

4章

自動計算と関数の基本を学ぼう

この章では効率化に欠かせない計算式と関数について、基礎から学んでいきます。普段のExcelを使っている方でも計算式や関数に苦手意識を持っている人も多いと思いますが、この2つを使うことでExcelは飛躍的に便利になります。一見難しそうに見えますが、理屈さえわかってしまえば、どんな関数でも使うことができます。必ずマスターしましょう。

SECTION　キーワード▶ ＆を使った関数　　　サンプル番号　04sec34

34 計算式の基本

計算式というと数学のように難しいものを想像しがちですが、セルとセルを関連付けて便利にするものです。「このセルとこのセルをこうしたい」と言葉にしてみてください。次は新しいセルに半角英数でイコールを入力してみましょう。それで準備完了です。

＆を使って複数のセルを１つにする

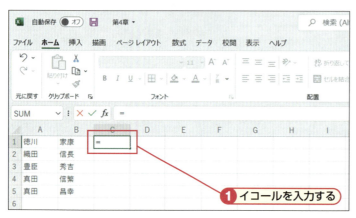

 手順1　セルにイコールを入力する

ここではC1に徳川と家康を合わせた答えを表示させましょう。まずはC1に半角英数のイコールを入力します。

 メモ　イコールは計算式と関数のはじまりはじまり

セルに半角英数＝を入力することで、Excelはこれから計算式か関数が入力されるのだなと理解します。関数や計算式とは関係なく＝を表示したい場合には、＝の前に文字列や数字、「'」を入力しましょう。

 手順2　A1をクリックします

C1にカーソルを置いたままA1をクリックすると青い文字でA1と入力されます。

 裏技　数式バーに直接入力してもOK

打ち間違えがないように、表をクリックするのがおすすめですが、操作に慣れてきたら、数式バーにそのまま入力してしまうという手もあります。

126

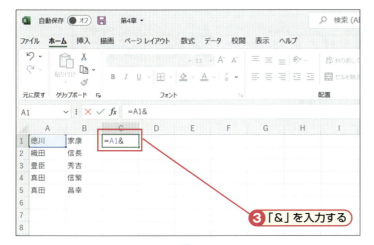

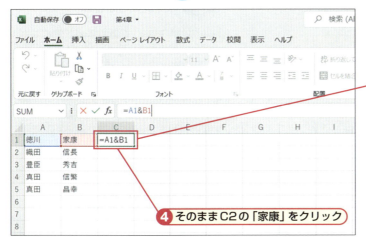

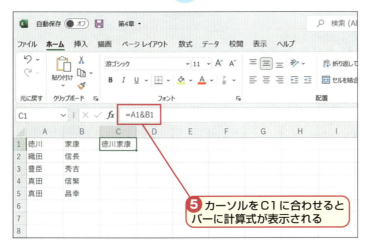

 手順3 続けて「&」を入力する

カーソルはそのままに半角英数の「&」を続けて入力します。

メモ &は文字列の連結を意味します。

&は文字列の連結を意味します。名前や住所が別セルに分かれているときに、連結させるのに便利です。

 手順4 さらに続けて「B1」をクリックする

カーソルはそのままに今度は「B1」をクリックします。自動的に赤字で表示されます。

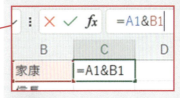

 手順5 エンターキーを押す

計算式が完成したところで計算式を終わらせます。エンターキーを押すことで計算式の結果がC1に表示されます。正しく表示されているか確認をします。

 メモ 名前の真ん中にスペースを入れるには

「＝A1&A2」でセルを1つにまとめることが出来ますが、ついでにスペースを挟みたい場合には「＝A1＆" "＆A2」となります。「"」マークの後に半角か全角でスペースをいれ「"」で閉じ「＆」で繋ぎます。スペースがどちらか固定していないと、あとでうまくいかない原因になってしまうので、スペースの全角か半角かは、どちらか1つに決めておきましょう。「"」マークの後に半角か全角でスペースをいれ「"」で閉じることで、"様"などの文字列を追加することも可能です

SECTION キーワード▶イコールを使った計算式／セルの参照　サンプル番号　04sec35

35 他のセルのデータを参照し表示させる

計算式では、「ここのセルの内容を、あっちに表示させる」といったことも可能です。ここでは「このセルの内容を別シートのセルに表示させる」計算式を入れて簡単な表を完成させましょう。一番多用する計算式になります。必ずマスターしましょう。

＝（イコール）を使って指定したセルを別のセルに表示させる

① セルE13の12月の欄に半角英数＝を入力

② B8の12月の売上合計をクリック

③ E13に「=B8」と入力されたのを確認してエンターキー

手順1　セルの参照で表を完成させる

セルの参照を使って簡単な表を完成させます。総売上の12月が抜けているので、12月の売上合計から持ってきましょう。手入力もできますが、間違いのもとなのでセルの参照を使います。まずは総売上の12月の欄を選択して、半角英数のイコールを入力します。（この例ではF13）

手順2　セルB8にある売上をクリックする

半角英数イコールを入力したらそのまま、参照したいセル、（この例の場合B8のセルにある12月の売上）をクリックします。図のように「=B8」と表示されたら、エンターキーを押します。

便利技　参照先がよくわからない場合

たくさん参照を使っていると、参照先がよくわからなくなった場合、数式だけを見て、列と行の重なる場所を特定するのに、時間がかかってしまう場合があります。そんな時は、数式バーをクリックしてみましょう。例の場合数式のB8とセルのB8に色が付きます。色で識別できるようになっているので、困ったときは色を頼りに見分けましょう。

完成 12月の売上が表示される

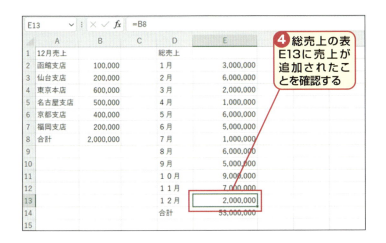

総売上に12月の売り上げが追加され、表が完成します。

数式バーに直打ちで計算式を入力してみる

手順1 数式バーに「=B8」と入力する

セルを選択して入力したほうが間違いがありませんが、画像の上部にある数式バーに直接計算式を打ち込むという方法もあります。やり方は簡単。まず入力したいセルのE13を選択し、数式バーにカーソルを置きます。

手順2 数式バーに「=B8」と半角英数で入力する

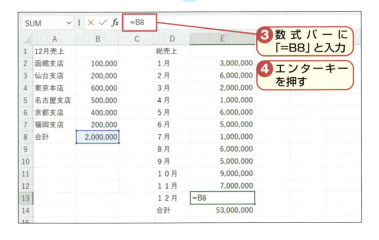

数式バーをクリックしたら、そこにそのまま「=E8」と半角英数で入力し、エンターキーを押します。

注意 打ち間違いに注意

数式バーに直打ちすることもできますが、列や行の指定を打ち間違えると、正しい答えが出なくなってしまいます。出来ればセルを選択するようにして、ごくごく短い数式だけ、直打ちにするようにしましょう。

SECTION キーワード ▶ ＋－×÷の計算式　　サンプル番号　04sec36

36 四則演算の計算式

計算式と聞いて真っ先に思い浮かぶのは小学校で習った、＋－×÷の四則演算ではないでしょうか。算数では「1＋1＝」と記述しますが、計算式では「＝1＋1」と入力します。思ったよりも難しくないかもと思ったのではないでしょうか。早速やってみましょう。

足し算をやってみる

手順1 足し算をやってみよう

最初は足し算です。まずは答えを表示したいセルをクリック。ここでは「D1」をクリックします。続いて数式バーに半角英数のイコールを入力します。「＝」を入力したら計算式の開始です。

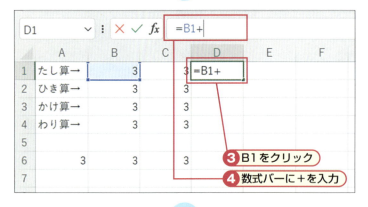

手順2 1つ目のセルをクリックする

足し算したい1つ目のセルをクリックします。ここでは「B1」をクリックします。続けて、数式バーに「＋」を入力します。

時短 足し算するセルが多すぎる場合

足し算するセルが多い場合には、計算式では大変です。4章で出てくるSUM関数を使うと便利です。

2つ目のセルをクリックする

足したい2つ目のセルをクリックします。ここでは「C1」をクリックします。最後にチェックマークのアイコンの「入力」をクリックして完成です。

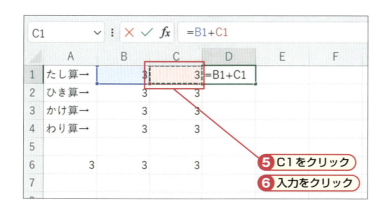

引き算をやってみる

引き算をやってみよう

続いて引き算です。まずは答えを表示したいセルをクリック。ここでは「D2」をクリックします。続いて数式バーに半角英数のイコールを入力します。「＝」を入力したら計算式の開始です。

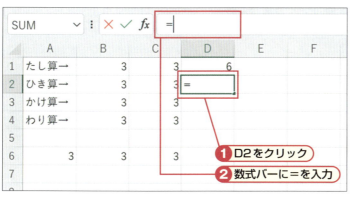

1つ目のセルをクリックする

引き算したい1つ目のセルをクリックします。ここでは「B2」をクリックします。続けて、数式バーに半角英数の「-」を入力します。

手順3 2つ目のセルをクリックする

引きたい2つ目のセルをクリックします。ここでは「C2」をクリックします。最後にチェックマークのアイコンの「入力」をクリックして完成です。

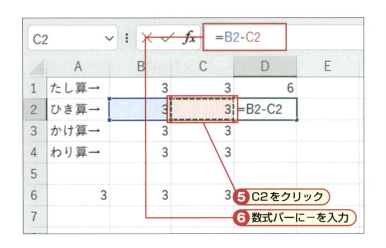

掛け算をやってみる

 手順1 掛け算をやってみよう

続いて掛け算です。まずは答えを表示したいセルをクリック。ここでは「D3」をクリックします。続いて数式バーに半角英数のイコールを入力します。「＝」を入力したら計算式の開始です。

 手順2 1つ目のセルをクリックする

掛け算したい1つ目のセルをクリックします。ここでは「B3」をクリックします。続けて、数式バーに「*」を入力します。

注意 掛け算は「×」では出来ない

掛け算は通常「×」を使って表示しますが、Excelの場合は「*」になります。間違えやすい点なので注意しましょう。

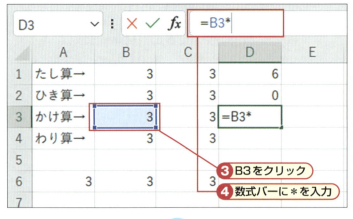

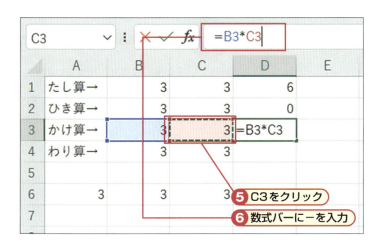

手順3　2つ目のセルをクリックする

掛けたい2つ目のセルをクリックします。ここでは「C3」をクリックします。最後にチェックマークのアイコンの「入力」をクリックして完成です。

割り算をやってみる

手順1　割り算をやってみよう

続いて割り算です。まずは答えを表示したいセルをクリック。ここでは「D4」をクリックします。続いて数式バーに半角英数のイコールを入力します。「＝」を入力したら計算式の開始です。

手順2　1つ目のセルをクリックする

掛け算したい1つ目のセルをクリックします。ここでは「B4」をクリックします。続けて、数式バーに「/」を入力します。

注意　割り算は「÷」では出来ない

割り算は通常「÷」を使って表示しますが、Excelの場合は「/」になります。間違えやすい点なので注意しましょう。

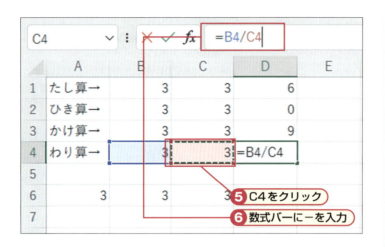
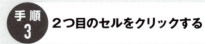

手順3 2つ目のセルをクリックする

掛けたい2つ目のセルをクリックします。ここでは「C4」をクリックします。最後にチェックマークのアイコンの「入力」をクリックして完成です。

四則演算が混じった式をやってみる

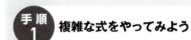

手順1 複雑な式をやってみよう

まずは答えを表示したいセルをクリック。ここでは「D6」をクリックします。続いて数式バーに半角英数のイコールを入力します。「＝」を入力したら計算式の開始です。ここでは続けて「(」を入力します。

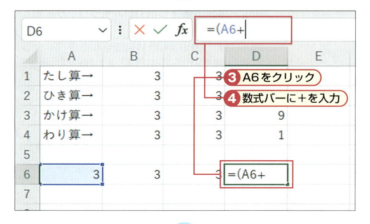
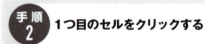

手順2 1つ目のセルをクリックする

掛け算したい1つ目のセルをクリックします。ここでは「A6」をクリックします。続けて、数式バーに「+」を入力します。

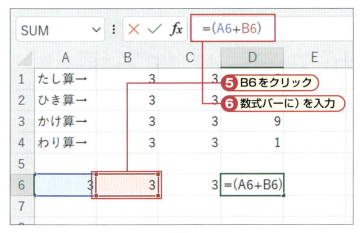

 2つ目のセルをクリックする

掛けたい2つ目のセルをクリックします。ここでは「B6」をクリックします。続けて数式バーで「)」を入力します。

 3つ目のセルをクリックする

数式バーで「+」を入力し、3つ目のセルをクリックします。ここでは「C6」をクリックします。

 チェックマークの「入力」をクリック

最後にチェックマークのアイコンの「入力」をクリックして完成です。

SECTION　キーワード ▶ #VALUE!/#REF!　サンプル番号　04sec37

37 計算式がエラーになる場合

計算式でエラーが出るとExcelに慣れている人であってもぎょっとします。でもエラーは割と出ること、エラーの内容がわかれば怖くありません。少しの手直しで直るものがほとんどなので落ち着きましょう。ここでは代表的なエラーを直してみましょう。

#VALUE!を修正する

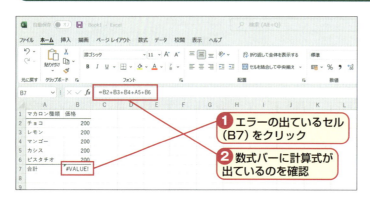

手順1　エラーの内容を確認する

表を見るとマカロンの合計金額がエラーを起こして「#VALUE!」と表示されています。エラーを起こしているセル（図ではB7）をクリックすると数式バーに計算式が表示されます。

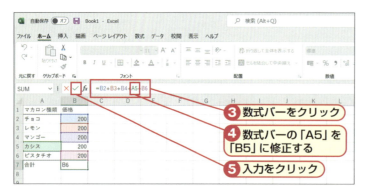

手順2　数式バーをクリック

数式バーをクリックすると計算式に使用されているセルに色が付きます。表のほうを見てみると、1つだけ数字ではなくて「カシス」(A5)を選択してしまっています。この部分を正しく修正します。数式バーの「A5」を「B5」に書き換えます。

メモ　困ったときは数式バーを確認！

エラーが出たときには数式バーをチェックして、正しく選択されているか)の数は正確になっているか確認しましょう。

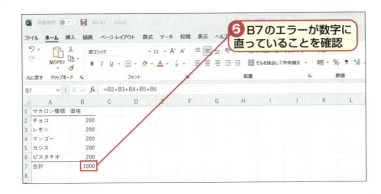

手順 3 エラーの修正を確認する

エラーが修正されていることを確認します。正しく価格が数字で表示されています。「#VALUE!」が表示された場合には選ぶセルを間違っている可能性が高いので、数式バーをクリックし、内容をよく確認してみることが大事です。

#REF!を修正する

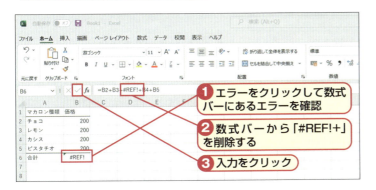

手順 1 なぜ#REF!が表示されるのかを知ろう

同じく表示されることの多い「#REF!」の修正方法もやってみましょう。
#VALUE!の時と同じようにまず数式バーをクリックして内容を見てみます。ここでは数式バーに「#REF!」と書かれていることがわかります。この場合、数式バーから「#REF!+」を削除します。

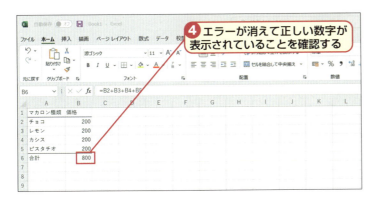

手順 2 エラーが消えたことを確認

エラーが消えて正しい数字が表示されていることを確認します。

困ったときは数式バーを確認！

「#RIF!」は数式にあったはずの行や列が削除された場合などに、よく表示されるエラーです。既になくても問題がないようであれば、エラーそのものを削除してしまって問題ありません。

SECTION キーワード▶計算式のコピーのコツ　　サンプル番号　04sec38

38 計算式のコピー

便利な計算式や関数を他でも使おうとする場合、普通にコピーしてしまうと上手くいかないことがあると気づくと思います。計算式や関数のコピーはひと手間必要になります。ここではその方法を説明していきます。

計算式を普通にコピーする

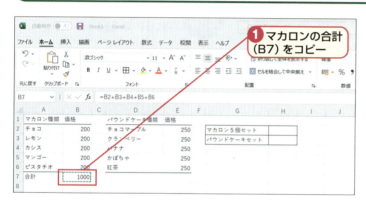

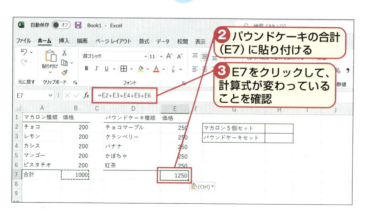

手順1　計算式を普通にコピーする

マカロンの合計を出している計算式を使って、パウンドケーキの合計を出してみましょう。普通にコピーで行っても自動的に計算式が変更になります。まずはマカロンの合計（B7）をコピーします。

手順2　パウンドケーキの合計（E7）に貼り付ける

パウンドケーキの合計（E7）に貼り付けると計算式が変わって、E列の数字を計算してくれていることがわかります。合計もマカロンの合計（B7）と異なった数字が正しく表示されています。

計算式を普通にコピーしてエラーが出る場合には

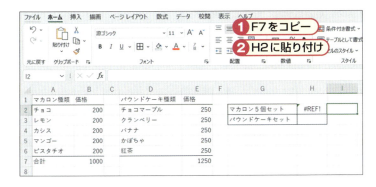

 手順1　マカロンの合計をコピーするとエラーが出る

マカロンの合計（B7）をマカロン5個セット（H2）にコピーしてみると、今度はエラー＃REF!が表示されてしまいます。

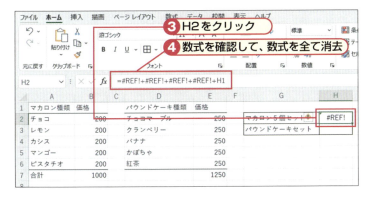

 手順2　H2をクリックして数式を確認する

H2をクリックして、数式バーを確認すると、＃REF!だらけになってしまっていることがわかります。一度この数式を削除してしまいます。

 メモ　計算式や関数で混乱してきたら？

一度計算式や関数を、まっさらに消してやり直してみるのも手です。特に他の人のB7をクリックして数式バーに数式を表示させたら、数式バークリックして数式バーを編集できるようにします。カーソルをB6の右側に合わせます。

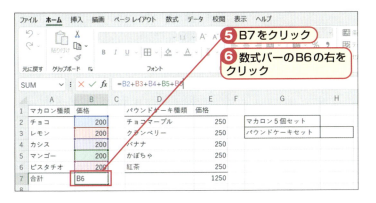

 手順3　数式をコピーしてみよう

B7をクリックして数式バーに数式を表示させたら、数式バークリックして数式バーを編集できるようにします。カーソルをB6の右側に合わせます。

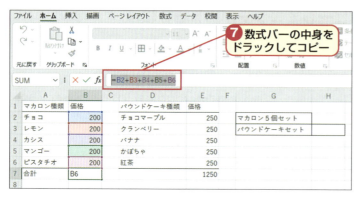

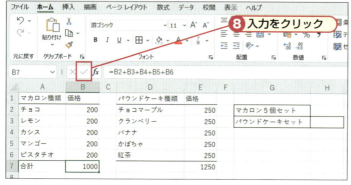

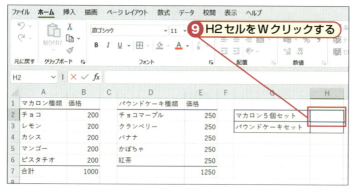

手順 4 数式バーの内容をコピー

数式バーを右から左にドラックで選択し、内容をコピーします。

手順 5 「入力」ボタンをクリック

コピーが完了したら、チェックマークの「入力」を忘れずにクリックします。

注意 「入力」ボタンを忘れずに！

ここでしっかり「入力」ボタンを押して次の作業に移らないと、数式がまだ完結しておらず、間違ったセルを数式に入れ込んでしまいます。数式バーで何か作業を行った場合には、必ず「入力」ボタンをクリックしましょう。

手順 6 ダブルクリックでカーソルを表示する

H2のセルを今度はWクリックで選択します。数式が入力できるようになり、カーソルが表示されます。

手順7 数式を貼り付ける

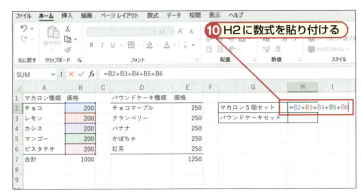

H2にカーソルが表示されている状態で、数式を貼り付けます。

手順8 「入力」ボタンをクリック

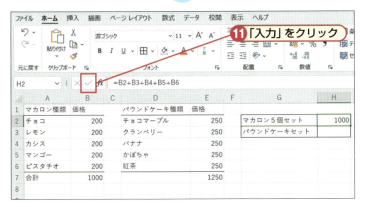

数式が入力出来たら「入力」ボタンを最後に押して数式を完了させます。

 参照もうまく使おう

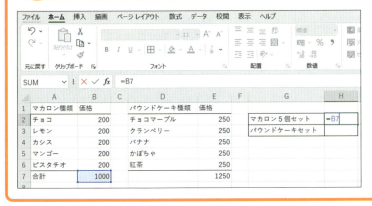

　今回の例では、数式のコピーを使用しましたが、この表の場合、図のようにセルの参照を使うことも可能です。例えばマカロンの値段が変わったときの場合を考えると、参照のほうが向いているかもしれません。状況に応じて、うまく使い分けをしましょう。

SECTION　キーワード▶絶対参照／複合参照　サンプル番号　04sec39

39 計算式のコピーでエラーになる理由

計算式や関数のコピーでエラーになることは多々ありますが、指定しておいたセルのズレが大半です。セルのずれを防ぐために、絶対参照と複合参照を入れることで、正しい回答が出ます。ここではそれを学んでいきましょう。

絶対参照をしてみる

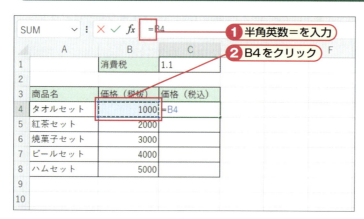

手順1　C4に計算式を入力する

まずはタオルセットの税込の価格を計算式で求めます。半角英数＝を入力し、タオルセットの価格1000円（B4）をクリックします。

手順2　掛け算をします

半角英数＊を入力します。続けて消費税の10％（C1）をクリックして、掛け算をします。

 掛け算は×ではなく＊で！

四則演算の項目で掛け算は×ではなく＊で行うと説明しました。ここは間違いが多いところです。早めに＊を覚えて慣れておきましょう。

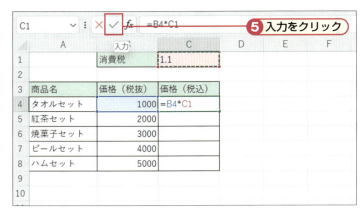

手順 3 入力をクリック

入力をクリックして、計算式を完了させます。

手順 4 C4を下方向にコピー

C4に、正しい税込み価格が表示されていることを確認します。C4の計算式をC8までドラックでコピーして、税込み価格を表示させます。

手順 5 計算式の結果を確認

C4は正確な答えが出ているのに、その下のセルはどれもあっていない上に、エラーまで出ていることを確認します。エラーの出ているC6のセルをクリックして、計算式の内容を確認します。

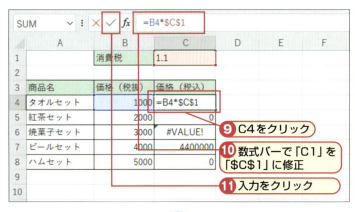

C6のセルの内容を確認する

数式バーをクリックしてみてC6のセルの計算式を確認します。「3000円×価格（税込）」になっています。計算式を1つ1つ直していくのは、大変手間がかかるので、元となったC4の計算式を修正していきます。

数式バーでC4を修正する

C4をクリックして、数式バーにC4の計算式を表示させます。C1が動いてしまうことが原因なので、C1が動かないように「$C$1」と入力しなおして固定をします。

修正した計算式をドラック

修正したC4のフィルハンドルをクリックし、下方向C8までドラックでコピーします。計算式が修正され正しい答えが表示されます。

ドラックしないでWクリック！

丁寧に説明するためにC4からC8までドラックを推奨していますが、実際にはC4のフィルハンドルをWクリックすることで下までデータが入力されます。こういった場面では時短のためにはWクリックが有効であることも覚えて置いてください。

複合参照を使ってみる

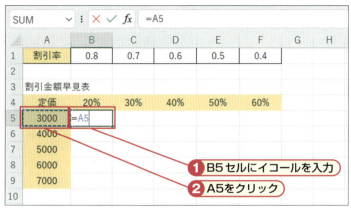

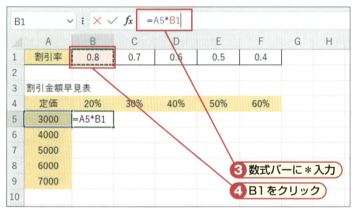

手順1　まずは掛け算をしていきます

今度は1つ1つ割引率を変える図に、計算式を入れていきましょう。まずは3000円の20%を、B5セルの計算式に入れます。まずは、B5をクリックして、数式バーに＝に入力します。続いてA5の3000のセルをクリックします。

手順2　掛け算を完成させます

数式バーに続けて、掛け算の「＊」を入力し、B1セルをクリックします。

手順3　入力をクリックして完了

最後に入力ボタンをクリックして、数式を完了します。

手順 4　セルB5が正しい内容か確認

計算式が完了して、B5に数字が表示されます。正しい数字であることを確認します。

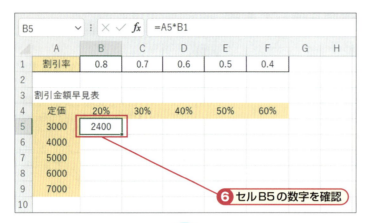

手順 5　B5のセルを縦方向にドラッグ

B5の計算式が正しいことを確認したら、B5セルを縦方向にドラッグして数式をコピーしていきます。すると正しく表示されないことがわかります。

> **メモ　計算式は何故ずれてしまうのか**
>
> 計算式や関数をドラッグすると、Excelは自動的に「これかな？」という回答を出します。その時にずれ防止の$がないと、どんどんずれた回答を返してしまいます。ずれたほうがいい場合もありますが、ずれてほしくない場合には必ず$で固定しましょう。

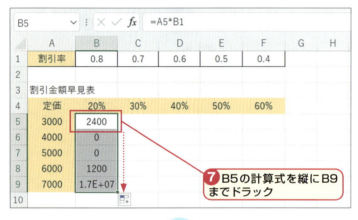

手順 6　B5の計算式を横方向にドラッグ

続いて、B5の計算式を横方向にドラッグしてみます。こちらも正しい数字ではないことを確認します。

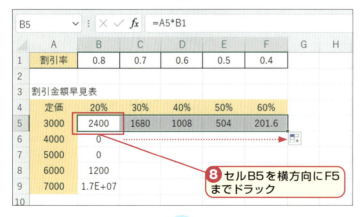

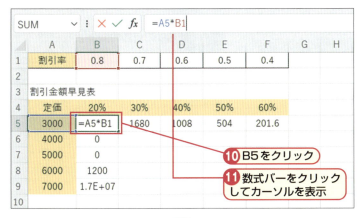

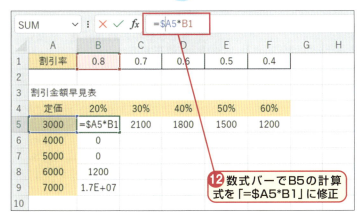

⑩ B5をクリック

⑪ 数式バーをクリックしてカーソルを表示

⑫ 数式バーでB5の計算式を「=$A5*B1」に修正

手順7　F5の計算式を見る

明らかに計算結果がおかしいF7のセルに、どんな計算式が入っているかを確認します。F7をクリックして、数式バーを見てみると、本来「=A5*F7」であるはずの計算式が、A5がずれてきてしまい、「=E5*F1」になってしまっているのがわかります。

手順8　B5の計算式を修正

まずはB5の計算式を直して、正しく表示させてみましょう。計算式の元になっているB5をクリックし、続けて数式バーをクリックします。

手順9　B5の数式を修正

手順8ではAがEまでずれてきてしまっていたので、複合参照を使ってAだけを固定します。セルB5が「=A5*B1」となっているのを、Aの前に固定を入れて「=$A5*B1」と数式バーで書き直します。

固定するときは固定したい文字の前に$を入力

固定したい場合には、固定したい部分の前に$を入力します。この例の場合では、Aを固定したいので$Aとなりますが、5を固定したい場合の時は、A$5となります。固定する場所を間違えないようにしましょう。

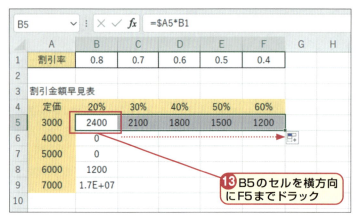

 手順10 B5を横方向にドラッグ

修正したB5の計算式を横方向にドラッグすると、正しい数字が表示されていることがわかります。続いて縦方向を修正しましょう。

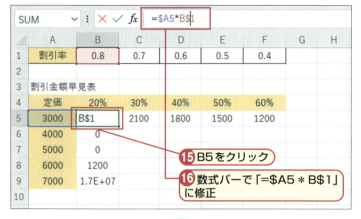

 手順11 B9のセルの計算式を確認

明らかに結果のおかしいB9のセルに、どんな計算式が入っているか確認をします。本来ならここには「=A9*B1」が入っているはずが、「=B5*B9」という計算式になっていることがわかります。

 手順12 B5セルの計算式を、さらに修正する

B5の計算式をさらに修正します。縦方向の計算式が、一行目を参照していてほしいのに、下に下がってしまって、計算式がおかしくなってしまっているので、今度は1列目を固定します。BCDE・・と移動していくので、Bは固定しません。B5をクリックし、数式バーで「=$B5*B1」を「=$B5*B$1」に修正します。

B5セルを縦方向にドラック

計算式の修正が完了したので、今度はB5セルを縦方向にB9までドラックし、数字が正しく表示されているか確認をします。

⑰ B5セルを縦方向にB9までドラック

 計算式を全体にドラック

縦方向も正しく表示されたので、今度は縦方向にドラックしたフィルハンドルを、そのまま横方向F9までドラックします。表全体に正しい計算式が入ったことを確認します。

 縦横に広げる表には＄が必須！

この例のように、縦と横に計算式や関数を広げていく表では、＄でどこかを固定することが必須になってきます。事前に固定できる部分はないか考えてみましょう。この形状を覚えて置くと便利です。

⑱ フィルハンドルを使って、F9まで横方向にドラック

4 自動計算と関数の基本を学ぼう

 エラーが出る場合には、参照先と絶対参照、複合参照を疑え！

$B1	B（縦方向）を固定する横方向は固定しない	
B$1	1（横方向）を固定する縦方向は固定しない	
$B$1	縦方向も横方向も固定して1つのセルに固定する	

　計算式でエラーが出るとき、まず疑うべきは参照先がおかしくないかどうかです。続いて、絶対参照や複合参照を使って修正をしていきます。エラーが出ると心が折れてしまい、計算式や関数に苦手意識を持ってしまう方も多いのですが、エラーはよく出ます。そして、ほとんどがこの方法で解決できると知っていれば、そう怖がることはありません。計算式や関数を有効活用して、作業を効率化させましょう。

SECTION キーワード▶Fxボタン／SUM関数　　サンプル番号　04sec40

40 関数の基本

手順解説動画

計算式に慣れたら次は関数を調べてみましょう。計算式に関数をいれることで、さらに各段に便利になります。関数は非常にたくさんありますが、ここでは目的の関数を検索して使用する方法を説明します。

関数を検索してみる

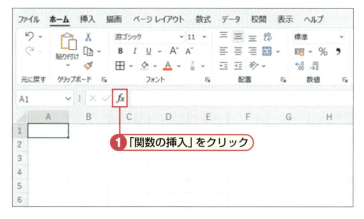

手順1　関数の挿入をクリックする

数式バーの左にある「Fx」という「関数の挿入」をクリックして、関数の挿入を開きます。

注意　検索は短い言葉で！

関数の検索はあまり長い言葉に適応していません。「合計」「平均」など短い言葉で検索をしましょう。また、頭文字を覚えていれば頭文字でも検索ができます。

手順2　合計の関数を検索する

関数の検索の欄に「何がしたいか簡単に入力して「検索開始」をクリックしてください。」と書かれている部分を削除して「合計」と入力し、検索開始をクリックします。

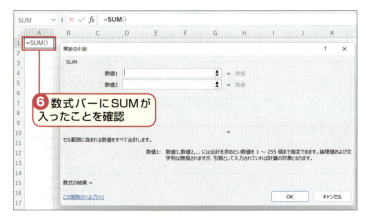

 関数名の中から 「SUM」を選択する

関数名の枠の中に関数が表示されるので「SUM」関数を選択し、「OK」をクリックします。

完成 数式バーにSUMが入ったことを確認

OKを押すと数式バーにSUM()が表示され、関数のダイアログが表示されます。

メモ 関数は全部で約500個!?

関数はたくさんあるので、関数の挿入ボタンかネットで検索することが有効です。全部覚えようとしなくても大丈夫。よく使う関数数個だけ覚えて置けばOKです。

4 自動計算と関数の基本を学ぼう

裏技 よく使われる関数はここからも簡単に入力できる！

画面右上のホームボタンをクリックし、編集の中によく使われる関数が入っています。関数を入れたいセルを選択し、ここから使う関数をクリックすることで関数が入力されます。とても便利なのでぜひ活用してください。

SECTION キーワード▶SUM関数　　サンプル番号　04sec41

41 合計の表示

基本の基本であるSUM関数を使って、簡単な表の合計を出してみましょう。1つ2つ合計を足すだけの場合は、計算式の＋でも簡単ですが、表のここからここまでと大きく範囲を指定する際には、SUM関数が便利です。一番使う関数なので覚えてしまいましょう。

必ず覚えておきたい基本の関数「SUM」を使ってみる

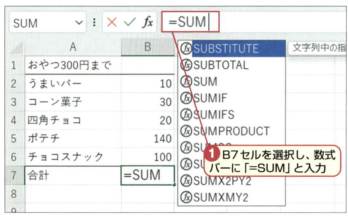

 B7セルを選択し、数式バーに「=SUM」と入力

 手順1 **SUM関数を入力する**

まずはSUM関数を使ってみましょう。数式バーに「=SUM」と入力するとこの関数ですか？とさまざまなSUMから始まる関数がずらっと下に並びます。この中からSUMを選んでも入力可能です。

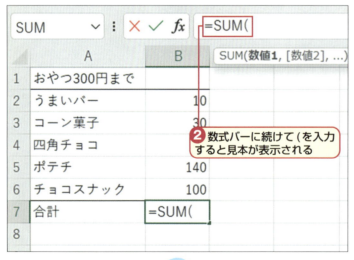

 数式バーに続けて（を入力すると見本が表示される

 手順2 **「=SUM」の後に（を入力**

関数の基本は「＝関数（セルを設定）」といった形式になります。（を入力すると数式バーの下にセルの設定の見本が表示されます。

 メモ **数式バーの小さな文字に注目**

関数を入力すると数式バーに小さな文字で、数値1数値2と表示されるのがわかると思います。これは関数をわかりやすく説明したものなので、初めての関数はこれにそって行いましょう。ここでは数値1数値2は、セル選択したらカンマで区切れば次のセルを選択できます、ということを説明しています。

B2からB6をまとめて選択する

(の次にカーソルを置いて、B2からB6をドラックで選択します。

 「)」で閉じる

B2:B6が入力されたら、「)」で関数を閉じ、エンターキーを押します。関数はセルの指定を()で囲うことで完成することを覚えて置きましょう。

 正しい答えが出たことを確認する

正しい答えが表示されます。1つ1つ合計するのが大変な時は、SUM関数でセルを選択していくのが簡単です。

SECTION キーワード▶AVERAGE関数／RANK関数　サンプル番号　04sec42

42 平均の表示

今度は平均を求めてみましょう。使い方はほぼSUMと一緒なので難しいことはありません。AVEREGEもよく使う関数なので覚えてしまいましょう。またちょっとややこしい関数RANK関数にもチャレンジして、併せて使ってみましょう。

AVEREGE関数を使って平均を出す

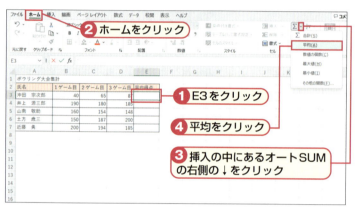

 手順1　AVEREGE関数を入力する

関数を入れたいセルE3を選択してから、左上のホームボタンをクリックします。続けて挿入にあるオートSUMの隣にある↓をクリックします。平均を選択してAVERAGE関数を入力します。

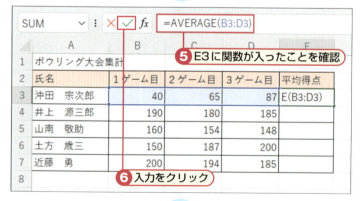

 手順2　AVEREGE関数が自動的に計算する

AVERAGE関数が入力され、ここではなんとB3からD3を選択して平均まで計算が完了されています。入力を押し完成させましょう。

 時短　オートSUMの中の関数は自動で計算してくれる

ここで紹介したAVERAGE関数のように、オートSUMの中から選択する関数は、ある程度自動で「ここからここまでかな？」と表を見て判断してくれます。もちろんたまに間違えますので、その時には正しい範囲を手動で設定しましょう。

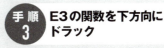

	A	B	C	D	E
	E3		fx	=AVERAGE(B3:D3)	
1	ボウリング大会集計				
2	氏名	1ゲーム目	2ゲーム目	3ゲーム目	平均得点
3	沖田　宗次郎	40	65	87	64
4	井上　源三郎	190	180	185	185
5	山南　敬助	160	154	148	154
6	土方　歳三	150	187	200	179
7	近藤　勇	200	194	185	193

❶ E3を下方向E7までドラックでコピー

手順3　E3の関数を下方向にドラック

E3に入った関数を全ての行に反映したいので、E3の左下のフィルハンドルを下方向にドラッグして、関数をコピーし、表を完成させます。

RANK関数で順位をつけてみる

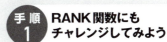

❶ F3をクリック

	A	B	C	D	E	F
1	ボウリング大会集計					
2	氏名	1ゲーム目	2ゲーム目	3ゲーム目	平均得点	順位
3	沖田　宗次郎	40	66	87	64	
4	井上　源三郎	190	181	185	185	
5	山南　敬助	160	153	148	154	
6	土方　歳三	150	185	200	178	
7	近藤　勇	200	195	185	193	

手順1　RANK関数にもチャレンジしてみよう

RANK関数はその名の通りランキングをつけてくれる関数です。少しややこしい関数ですが、ゆっくり説明を進めるのでチャレンジしてみましょう！まずはランキングを表示したいセルを選択します。この例ではセルF3をクリックします。

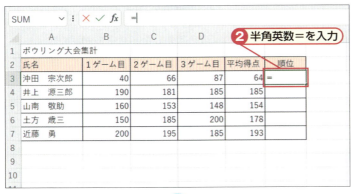

❷ 半角英数＝を入力

手順2　F3にイコールを入力する

F3に半角英数＝を入力して、関数を開始します。

 RANK関数を入力

=を入力したらそのあとにRANK(を入力します。RANK関数のはじまりです。

 平均を出したE3をクリック

次は先ほどAVERAGEで出した平均得点を選択します。F3に入れたいのは沖田宗次郎の順位なので、E3の平均点をクリックし、数式バーにE3を表示させます。

 E3を入力したら半角カンマで区切る

E3を入力したら数値の設定は完了します。次の参照の設定に移るために、半角カンマ「,」を入力して区切ります。

 関数は半角カンマで区切る

関数を区切る際に、よくある間違いが、「,」と「.」の打ち間違いです。必ず良くキーボードを見て半角カンマ「,」を入力しましょう。また全角の「、」でもうまくいかないので、まず半角にするのを忘れずに。

 手順 6 参照範囲を設定します

続いて参照を設定します。参照とは、どの範囲の中で何位かの「どの範囲」のことです。ここではみんなの平均点の中のE3が何位かを求めるので、みんなの平均「E3からE7をドラック」で指定します。

 手順 7 半角カンマで参照を区切る

参照の入力が終わりました。次の順序に移るので、もう一度半角カンマ「,」を入力して、参照を閉じて区切ります。

 手順 8 降順を設定する

RANK関数最後の設定は、昇順か降順かどちらかを1か0で選択します。ここでは、平均点が高いほど順位が少なくなり1位に近くなる、つまり降順になるので0を入力した後、）を入力して、入力ボタンで関数を閉じます。（点数が多いほど順位が下がる場合には、昇順になります）

 注意 必ず関数は「）」で閉める

関数は必ず「）」で閉じます。最後の「）」がないだけで、エラーが出ることもしばしばありますので、最後の「）」を忘れないように注意しましょう。複数の関数を重ねて書く場合には）が1つでないこともあります。その際には別々に色が付くので、色ごとに）の数にも気を付けましょう。

手順 9　沖田宗次郎の順位が表示される

F3に沖田宗次郎の順位が正しく表示されたことを確認します。順位は5人中5位でした。

 順位が表示される

手順 10　絶対参照で参照するセルを固定する

次は先ほどAVERAGEで出した平均得点を選択します。F3に入れたいのは沖田宗次郎の順位なので、E3の平均点をクリックし、数式バーにE3を表示させます。

時短　ここは動かさないセルだと思ったら絶対参照を

エラーが出てから修正してもいいのですが、関数や計算式を入力している最中に「ここは動いてはいけないセルだな」と感じたら、前もって絶対参照を設定してしまいましょう。エラーを起こしてから直すよりも時短に繋がります。

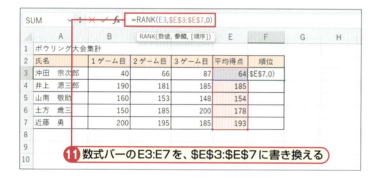
 数式バーのE3:E7を、$E$3:$E$7に書き換える

手順 11　F3を下方向にドラッグ

完成したF3の関数を下方向にF7までドラッグします。正しい順位が表示されているか確認します。

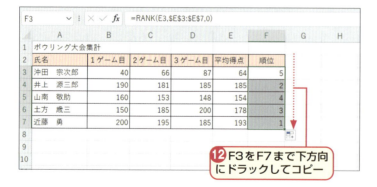
 F3をF7まで下方向にドラッグしてコピー

SECTION キーワード▶PHONETIC関数／フリガナの修正　サンプル番号　04sec43

43 氏名にフリガナを振る

関数を使って名前のフリガナを自動で振ることができます。とはいえ、中には自動では入らない名前の方もいますので、修正方法も一緒に学んでおきましょう。

PHONETIC関数を使ってみる

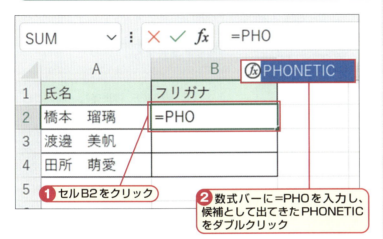

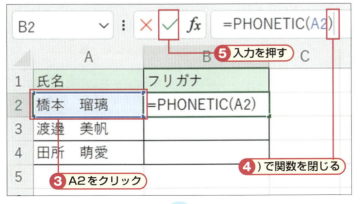

手順1　B2を選択し関数を入力する

セルB2にフリガナを入れたいと思います。ここでは=PHOと入力すると候補としてPHONETICが表示されるので、青い部分をダブルクリックします。

時短　関数の頭だけでも覚えて置くと便利

関数は入力中に候補を表示してくれます。正確な関数の英単語を全て覚えていなくても、頭文字だけでも覚えて置けば、あとは候補から選ぶことが可能です。時短のためにも、よく使う関数の頭文字だけでも、頭の片隅で覚えて置きましょう。

手順2　A2を選択して「)」で関数を閉じる

フリガナをつけたい漢字のあるセル（A2）をクリックして、「)」で関数を閉じ、入力を押します。

159

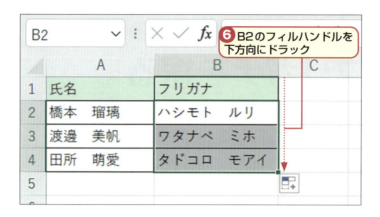

手順3 完成した関数をコピーする

B2に完成した関数を、下方向にドラックしてコピーします。

フリガナを修正してみよう

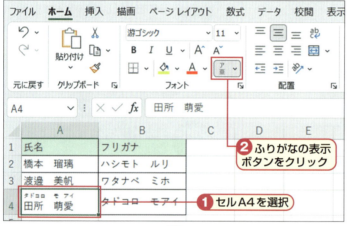

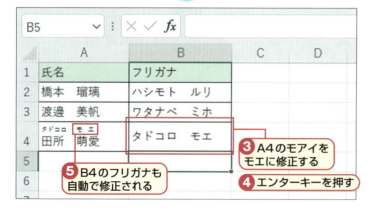

手順1 漢字の上に小さいフリガナを表示する

3人目の田所さんのフリガナが正しく表示されていないので修正を行いたいと思います。まずA4をクリックしてから、左上のホームボタンをクリックし、フォントの中にあるふりがなの表示ボタンをクリックします。

手順2 漢字の上にあるフリガナを修正する

漢字の上に表示されたフリガナをクリックして修正をします。ここでは、「モアイ」となってる名前を「モエ」に修正します。修正が済んだらエンターキーを押すことでB4のセルも修正されます。

メモ ルビを消したい場合

漢字の上にある読み仮名この例ではA4のセルに残っていますが、こちらを消したい場合は、もう一度A4を選択したままで、ルビのボタンをクリックします。試しにルビを消してみましょう。

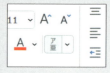

SECTION キーワード ▶ ROUND関数／関数に関数を重ねる サンプル番号 04sec44

44 数値の四捨五入

平均を求めてみたら小数点以下が出てしまったので四捨五入したい、そんなこともよくあると思います。ここではROUND関数を使ってみましょう。AVERAGE関数の上にさらにROUND関数を重ねて回答を求めたいと思います

ROUND関数を使って四捨五入する

手順1 数式バーにE3の関数を表示させる

図のように平均得点を求めましたが、小数点以下が多く表示されています。まず関数を入れたいセル（E3）を選択して、数式バーに今は入っている関数を表示させます。

手順2 数式バーにROUND関数を追加する

数式バーにカーソルを置いて、AVERAGE関数の前にROUND関数を追加していきます。＝の後にROUND(を追記します。

メモ 関数で関数を包む場合

関数で関数を包む場合には、後から来る関数が先頭になる形になります。3つ4つと関数を重ねる場合でも、あとから来る関数が先頭に来ます。その場合は、関数ごとの最後の）が正しく入力されているか、気を付けてみてみましょう。

手順3 半角英数カンマを入力する

数式バーに表示されている関数の後ろの部分に、半角英数カンマを入力します。

手順4 「0」を入力してエンターキーを押す

半角カンマのあと、最後に小数点以下をいくつまで表示する設定をします。例の場合、小数点は不要なのでゼロを入力して関数を閉じます。エンターキーを押して結果を見てみましょう。

手順5 E3を下方向にドラッグする

完成した関数の入ったE3をドラッグしてE7までコピーして、表を完成させましょう。

裏技 小数点の表示だけを変える場合

ホームタブの数値でも小数点の表示を変えることができます。ボタンを押すごとに小数点以下を増やすボタンと減らすボタンがあります。

SECTION キーワード ▶ IF関数　　サンプル番号　04sec45

45 指定した条件に合うデータの判定

ここではIF関数を使って「もし条件にあっていればこれを表示、条件にあっていなければこれを表示」といった結果を出してみましょう。ちょっと条件がややこしい関数ですが、IF関数もよく使う関数の1つなので覚えてしまいましょう。

IF関数を使って条件によって別の結果を表示させる

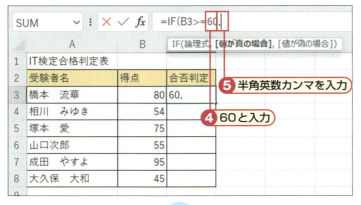

 手順1 数式バーに=IFと入力

C3をクリックして、早速数式バーに=IFと入力して、関数をはじめましょう。まず論理式を入力していきます。ここでは「指定したセル（B3）が、以上」と入力します。「>=」が以上を表しています。

 手順2 続けて60と入力

60点以上が合格と指定するために、続けて60と入力します。論理式が完成したので、半角英数カンマで閉じて、次は値が真の場合の設定をします。

 メモ IFは一番使う関数！

IFはとても便利な関数で、とても出番の多い関数でもあります。と、同時に、一番複雑で理解が難しい関数でもあります。ここでつまずいてしまう人も多いので、ゆっくり説明していきます。IF関数ができるとできることが格段増えますし、他の関数とセットで使うことも多いです。必ずマスターしましょう。

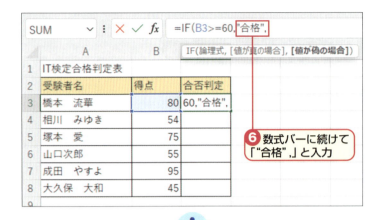

 "合格",と入力する

点数が60点以上の場合には合格と表示したいので、論理式の結果が真の場合には合格を表示するよう設定します。文字列を表示させる場合には「"合格"」と入力します。合格が入力できたら、半角英数カンマで区切って、次は偽の場合の表示指定をしましょう。

 "不合格")と入力する

論理式で偽（60点未満）の場合には不合格と表示したいので、数式バーに続けて「"不合格"」と入力します。ここまでで関数は完成なので、最後は）で閉じて、エンターキーを押して関数の結果を表示します。

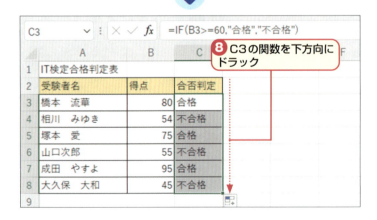

 C3の関数を下方向にドラックしてコピーする

完成した関数C3を下方向にドラックしてコピーしましょう。これで表が完成します。

SECTION キーワード▶XLOOKUP関数　　サンプル番号　04sec46

46 商品番号に対応する商品名や価格の表示

ここでは新機能のXLOOKUP関数を使って「この商品番号と、同じ行にある結果を全部持ってくる」といった表示をさせてみましょう。とても便利な新機能でエラーを表示させないこともできます。ぜひ覚えていろんな場面で使用してみてください。

【新機能】XLOOKUP関数を使ってみる

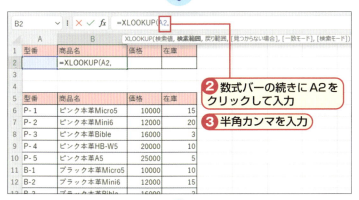

手順1　=XLOOKUPと入力する

まずは関数を入れたいセル（B2）を選択し、「=XLOOKUP」（と入力して関数を開始します。条件がたくさん出ていますが、[]で囲まれている条件は設定が不要であれば、入力を省略することができます。

手順2　A2を選択し半角英数カンマを入力する

続いてキーになる型番を入力するセル（A2）を選択し、半角英数カンマで検索値を閉じます。

4 自動計算と関数の基本を学ぼう

165

手順3 A6からA15をドラックする

数式バーに続けて、今度はキーとなる型番を探す範囲を指定します。A6からA15までをドラックで選択し、半角英数カンマで閉じます。

メモ XLOOKUPとVLOOKUP

VLOOKUPは従来よく使われていた関数ですが、そのVLOOKUPを強化したのが今回新機能として搭載されたXLOOKUPです。VLOOKUPと違って、検索値が表の右端になくてもOK！エラーの表示もOK！とVLOOKUPではできなかった、いろいろな機能を備えています。ぜひ覚えて置きましょう。

手順4 B6からD15を選択する

続いて戻り範囲を指定します。これはこのキーを入力したらここからここまでのデータを引っ張って来なさいという指定です。図の場合にはB6の商品名からD15の在庫の部分までなので、B6からD15をドロップで選択し、半角英数カンマで閉じます。

手順5 A2のセルに型番を入力

関数が完成したので、型番のセル（A2）に型番を入力してみましょう。図ではB-3を入力して、右側の商品名だけでなく、価格、在庫を関数で引っ張ってきているのを確認します。

5章

表のデザインを学ぼう

第2章で学んだ表の作成を、もう少し踏み込んで学んでいきましょう。表は何もしなくても表として使うことはできますが、デザインを変えることでぐっと見やすく伝わりやすいものになります。自分以外にも見せる表であったならデザインは重要になってきます。便利な機能を使って手軽に、かつ見やすい表を目指しましょう。

SECTION　キーワード▶セルの書式設定　サンプル番号　05sec47

47 書式の基本

フォントやセルに色を付けたり、効果を付けるために、またただの数字ではなく日付や通貨などの意味を持たせるために、Excelにはさまざまな機能があります。ここでは特によく使う、セルの書式設定について、学んでおきましょう。

セルの書式設定の表示方法

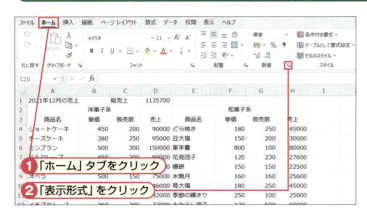

 手順1 セルの書式設定ダイアログを表示させる

画面上部にある「ホーム」タブをクリックして、数値の右下にある斜め矢印アイコン、「表示形式」をクリックします。

 セルの書式設定のショートカット

セルの書式設定のショートカットは、ctrl＋1です。アイコンが小さくてクリックにもたつく場合などには、ショートカットキーのほうが素早いと思います。この章では多用します。ぜひ覚えてしまいましょう。

 手順2 セルの書式設定のダイアログが開く

セルの書式設定ダイアログが開き、「表示形式」タブが選択された状態になります。表示形式では、そのセルに書かれた文字や数字が何かを設定できます。例えば、月日や通貨の表記などです。

 表示形式を元に戻したい場合には？

ユーザー定義などで表示形式をいじってしまい、元に戻したい！場合には、「標準」を選びましょう。計算式や関数をいれたのに式が表示されてしまって、答えが出ない場合など、表示形式が文字列になってしまっている可能性もあります。

4 「フォント」タブをクリック

 手順3 **「フォント」タブを見る**

表示形式タブのそばにある「フォント」タブを選択します。ここではセル内の文字のフォントについて様々な設定ができます。フォントの雰囲気を変更したり、色やサイズ、取り消し線などの効果も選ぶことができます。

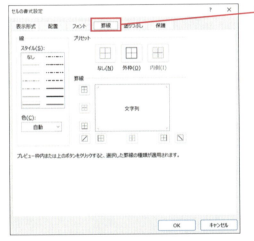

5 「罫線」タブをクリック

 手順4 **「罫線」タブを見る**

フォントタブの右隣にある「罫線」タブでは、セルの周囲を巡らせる罫線を詳細に設定出来ます。点線や太線、線の色を選んだり、斜め線を入れることも可能です。

 メモ **ここでは一部を紹介している**

ここで紹介されていないタブにも、さまざまな設定項目があります。手が空いた時に、どんなことができるのか1つ1つ確認してみましょう。

6 「塗りつぶし」タブをクリック

 手順5 **「塗りつぶし」タブをクリックする**

罫線タブの右隣りにある「塗りつぶし」タブをクリックしてみます。ここでは選択したセルの色を設定することができます。セルの色を変えるだけでなく、グラデーションをつけたり、水玉などのパターンを設定することも可能です。

5 表のデザインを学ぼう

SECTION　キーワード ▶ テーマ　　　　　　　　　　　　サンプル番号　05sec48

48 テーマを使ってカラフルにしてみよう

WordやPowerPoint同様にExcelにもテーマという、カラフルな自動設定機能が付いています。ボタン1つで、イメージ通りの色やフォントを設定することができる、とても便利な機能です。ここではその注意点と戻し方も併せて学んでいきましょう。

テーマを選ぶ

① ページレイアウトをクリック
② テーマをクリック

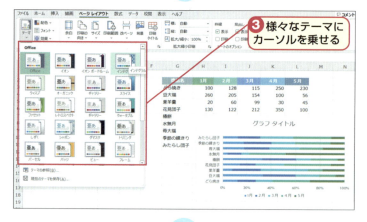

③ 様々なテーマにカーソルを乗せる

手順1　テーマを表示する

まず自分で彩色した表やグラフを用意します。画面上部のメニューから、ページレイアウトを選択し、左端に表示されるテーマをクリックします。

メモ　テーマを元に戻すには？

間違ってテーマを選んでしまった、最初のテーマに戻したい場合には、テーマの中にある「Office」をクリックしましょう。Excel標準のテーマに戻すことができます。

手順2　テーマの中から好きなテーマを選ぶ

テーマの中から好きなテーマを選んで、カーソルを乗せてみましょう。ここではインテグラルにカーソルを合わせてみました。表やグラフの色が変わっていきます。まだ選択していないのでここではカーソルを乗せるだけでさまざまなテーマを見ることができます。

メモ　フォントも変わっている！

色がガラッと変わる印象が大きいのですが、実はフォントも変更されています。色はよくても、読みにくいフォントにならないように、よく注意してみてみましょう。

170

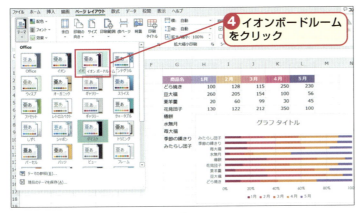

手順3 クリックでテーマを選択する

変えたいテーマを決めたら、クリックでテーマを選択します。ここではイオンボードルームを選択してみます。イオンボードルームにカーソルを合わせたら、クリックします。

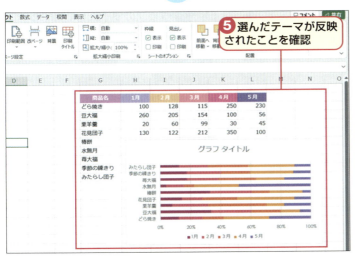

完成 ワンクリックで完了する

ワンクリックでカラフルな設定が反映されます。表だけでなくグラフも変更されることを確認します。

注意 シート全体のテーマが変更される

このグラフにはこのテーマ、この表にはこのテーマと選びたいところですが、テーマはシート全体の色を操るので、同じシートにあるものは、色が変わってしまいます。テーマを変えたい場合には、別シートを用意しましょう。

テーマを選ぶ時の注意点とその対処方法

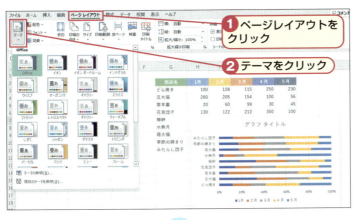

手順1 テーマを表示する

画面上部のメニューから、ページレイアウトを選択し、左端に表示されるテーマをクリックします。

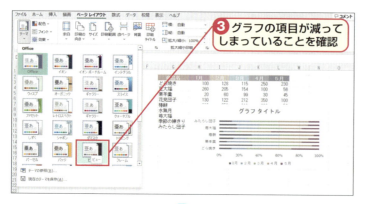

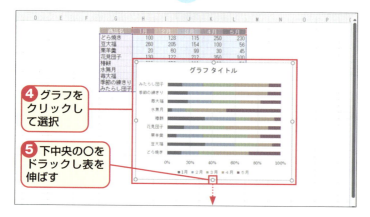

 テーマの中から ビューを選択する

テーマの中から今度はビューをクリックで選択してみましょう。ビューのテーマが反映されます。するとグラフの項目が少なくなってしまっていることに気づくと思います。

 グラフのサイズを変更する

こんな時は、グフを選択し、白い〇が表示されたら、中央下の〇を下方向にドラックします。グラフ部分が下に伸びて、隠れていたグラフの項目が、表示されます。

注意 見やすいテーマを選ぼう

おしゃれなテーマや、自分好みのテーマがあると思いますが、一番優先すべきは、見やすい配色やフォントのテーマです。数値よりも、雰囲気などを優先する場合も、時にはあるとは思いますが、説得力があるのは見やすい色とフォントです。選ぶ際にはその点注意して選びましょう。

配色だけを変更する

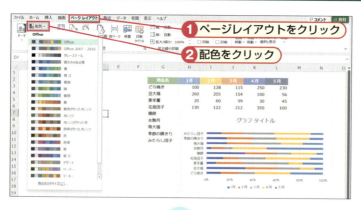

 配色をクリックする

画面上のメニューから、ページレイアウトをクリック、画面左手に表示される「配色」をクリックします。

 配色は色のみ変更される

フォントは変えたくないけど色は変えたい！そんな時にお勧めなのが、この配色です。フォントはそのままに色だけ変えてくれるので、読みにくくなる心配はありません。

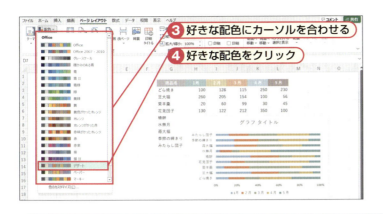

 配色の中から好きなものを
クリック

配色を表示したら、カーソルを合わせると、実際の表やグラフに色がプレビューされます。気に入った色をクリックして実際に反映させます。

フォントだけを変更する

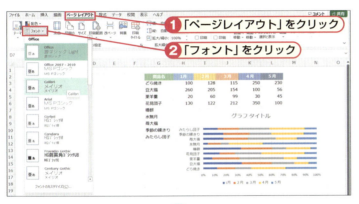

 フォントをプレビューする

画面上部「ページレイアウト」タブをクリックし、画面左手にある「フォント」をクリックします。表示されたフォントにカーソルを合わせると、実際の表のフォントが変更プレビューされます。

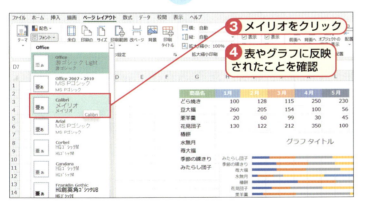

 気に入ったフォントを
クリック

気に入ったフォントが見つかったら、クリックで選択し、実際の表に反映させます。ここでは例として、「メイリオ」をクリックしてみます。最後に、実際に表に反映されたのを確認しましょう。

注意 見やすいフォントを最優先しよう！

テーマや配色同様に、見やすいフォントを選ぶようにしましょう。フォントの種類によっては漢字がうまく表示されないフォントやローマ字限定のフォントもあります。また太字をあまり小さな面積に入れようとすると、文字が読めなくなってしまうこともあります。よくプレビューを見て確認をしましょう。

5 表のデザインを学ぼう

SECTION　キーワード▶塗りつぶしの色/フォントの色　サンプル番号　05sec49

49 文字やセルに飾りを表示させる

フォントやセルに色を付けたり、効果を付けるために、Excelにはさまざまな機能があります。どれも簡単な操作で行うことができます。ここでは知っておきたい装飾を使った、効果的な装飾を解説していきたいと思います。

セルに色を付ける

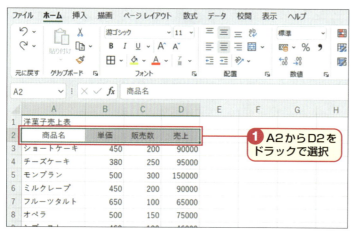

手順1　色を付けたい範囲を選択する

色を付けたいセルをドラックで選択します。ここではA2からD2をドラックで選択します。

手順2　塗りつぶしの色を選択する

画面上部のメニューにあるホームタブをクリック、フォントの中にある塗りつぶしの色の右にある↓をクリックして色を表示します。

注意　表題には黄色は使わない

黄色の塗りつぶしは、特に重要な部分や、注意が必要な部分に使うため、表題には使用しない場合がほとんどです。つい目立つように黄色を使ってしまいがちですが、黄色はいざという時の色と、大事に取っておきましょう。

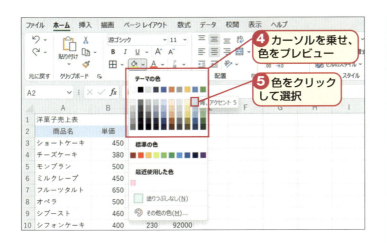

手順 3	好きな色を選択する

テーマの色、標準の色から、好きな色にカーソルを乗せると、実際の表に色がプレビューされます。プレビューをよく見て、色が決まったら、その色をクリックして実際の表に設定します。

5 表のデザインを学ぼう

文字の色を変える

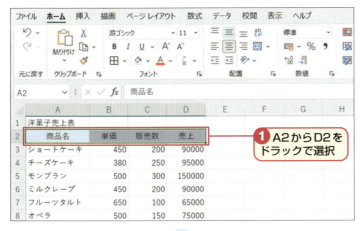

手順 1	文字の色を変えたいセルを選択する

文字の色を変えたいセルを、ドラックで選択します。ここではA2からD2を、ドラックで選択します。

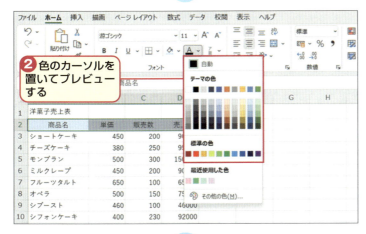

手順 2	好きな色をプレビューする

テーマの色、標準の色から、好きな色にカーソルを乗せると、実際の表に色がプレビューされます。

注意 あんまり濃い色で塗りつぶすと文字が見えない！

紺などの濃い色でセルを塗りつぶすと、文字が見えなくなってしまいます。そんな時は文字色を白にして目立つようにしましょう。また、薄い色の塗りつぶしに薄いグレーの文字など、見えにくい配色は避けましょう。

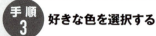**好きな色を選択する**

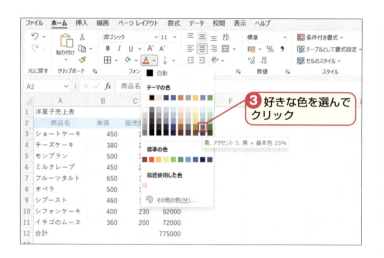

プレビューをよく見て、色が決まったら、その色をクリックして実際の表に設定します。ここでは濃い水色を選択します。

文字を太字にする

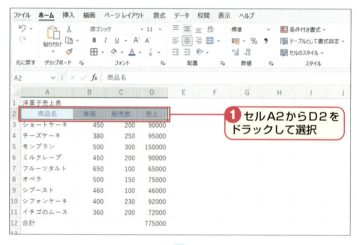

太字にしたいセルを選択する

まずは太字にしたいセルを選択します。ここではA2からD2をドラックで選択します。

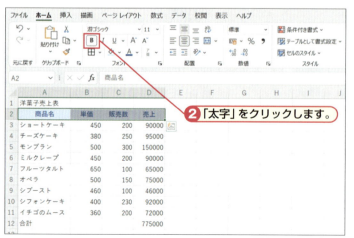

フォントの「太字」をクリックする

画面上部ホームタブの中にある、フォントの「太字」をクリックします。

注意 フォントによって太文字は読みにくい

選んだフォントによって、太文字がつぶれてしまって、読みにくくなってしまう場合があります。そんな時はフォントを変更するか、太文字にすることをやめておきましょう。

文字のフォントを変更する

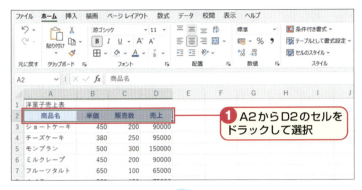

 手順1 フォントを変えたいセルを選択する

まずフォントを変えたいセルを選択します。ここではA2からD2をドラックで選択します。

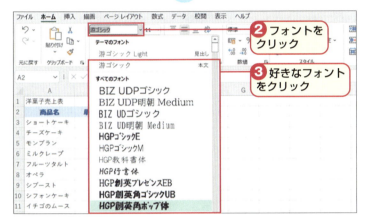

 手順2 フォントを選択する

画面上部のメニューにあるホームタブの中、フォントにあるフォントの右側の↓をクリックします。さまざまなフォントが表示されます。カーソルを合わせるとプレビューで見ることができるので、その中から好きなフォントを選んでクリック。

 時短 全体のフォントを変えるときには

全体のフォントを変えたい時には、「ページレイアウト」タブの「フォント」が便利です。プレビューがみられるので、全体の印象も掴みやすいです。

好きな色で染める

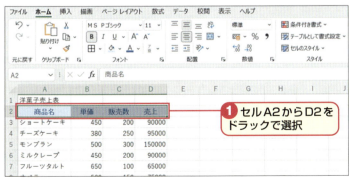

 手順1 色を染めたいセルを選択する

文字やセルの色を選ぶ際、配色の中に好みの色がない場合には、別の方法があります。ここではセルの色を好みの色にしてみましょう。セルA2からD2を選択します。

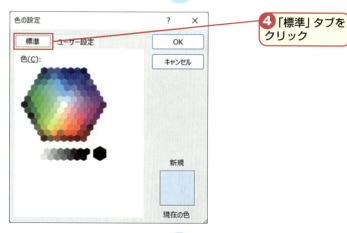

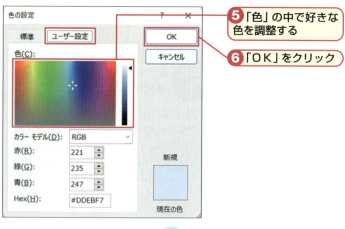

手順2 「その他の塗りつぶしの色」をクリックする

画面上部のホームタブの中にあるフォントの「塗りつぶしの色」をクリックします。色が表示されるので一番下にある「その他の色」をクリックします。

手順3 色の設定「標準」を見る

色の設定が開くので、「標準」タブをクリックします。たくさんのカラーが並んでいるので、この中から好きな色を選ぶことができます。

手順4 「ユーザー設定」をクリックする

続いて「ユーザー設定」タブをクリックします。より多くの色の濃淡が選択できるようになっています。ここでは、好きな色を調整して、「OK」をクリックします。

メモ ユーザー設定は詳細な設定が可能

ユーザー設定では、RGBカラーの設定や、明度彩度の設定など、細かな指定をすることができます。通常の色見本にはない、微妙なくすみカラーなども、作成することが出来ます。こだわりのカラー設定がしたい方にはお勧めです。

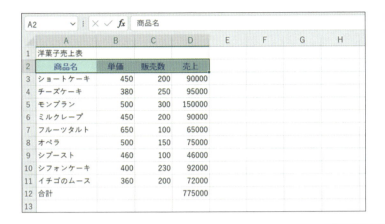

 手順5 色が変更されたことを確認

好みの色に変更されたことを確認します。この方法でさまざまな色を使ってみましょう。

センスのいい見やすい表はどう配色したらいいか

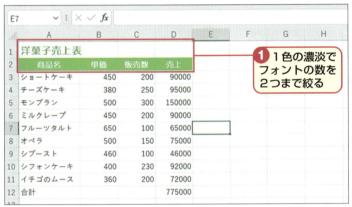

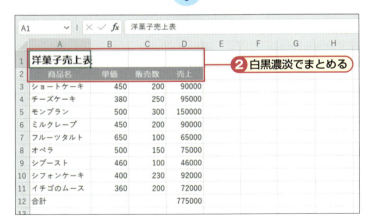

 手順1 配色を濃淡で1色にしてみる

ごちゃっとした表の問題点の1つに、色を使いすぎている場合があります。多色をうまく使うには、彩度や明度を揃えるという手法がとられますが、難しい場合には1色の濃淡で、またフォントは2種類にしてみましょう。ぐっとまとまりがでて、落ち着いてみられる表になります。

 手順2 白黒2色の濃淡で表を作る

こちらも1色の濃淡で作成した表になります。グレーの濃淡で表を作ると、白黒印刷した場合にも、わかりやすい表を作ることができるのでお勧めします。

 メモ 色を識別しにくい方にも、濃淡なら見やすい

色を識別しにくい方にも、濃淡の変化は見やすいという利点があります。色の濃淡を積極的に使っていきましょう。もしそういった方向けにあえて作成する場合には、カラーで作成したものを、白黒印刷で刷ってみて、濃淡がはっきりして見やすいかどうか、確認してみるといいでしょう。

SECTION   キーワード ▶ 右寄せ/中央寄せ   サンプル番号 05sec50

50 文字配置の整え方

Excelでは基本、文字が左寄せ、数字が右寄せになっています。これを場合によって変更することで、ぐっと見やすくなります。表をわかりやすいものにするためにも、左寄せ、中央寄せ、右寄せの効果について学んでおきましょう。

表に合わせて、中央寄せをする

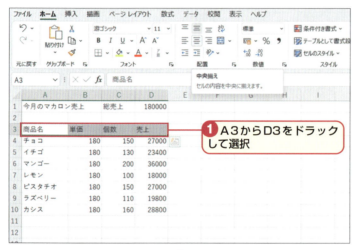

手順1 表の項目を選択する

商品名、単価、個数、売上と4つある表の項目は、中央寄せしてみましょう。項目を中央寄せにするだけでぐっと見やすい表になります。まずは、A3からD3まで選択します。

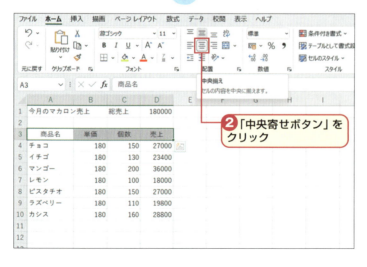

手順2 「中央寄せボタン」を押す

画面左上、ホームタブをクリック、配置の中にある「中央寄せボタン」をクリックします。

📖 **メモ 値段などの数字は中央寄せしない**

Excelでも文字列は最初から左寄せ、数字は右寄せになっているように、数字は右寄せが見やすくなっています。あえて中央寄せすると見づらくなってしまうので、数字の中央寄せは、よほど理由がない限り避けましょう。

右寄せをしてみる

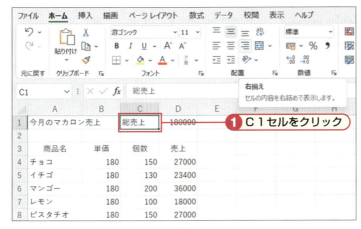

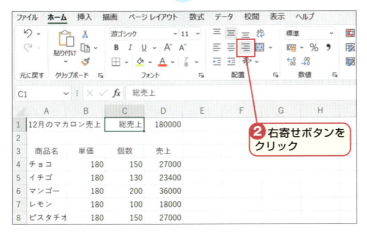

 手順1 総売上を選択する

今度は右寄せをしてみましょう。この表では総売上が上部にあります。ここの「総売上」という文字列を右寄せして数字に近づけて一体感を出してみましょう。まずは、総売上の書かれているＣ１セルをクリックで選択します。

 手順2 「右寄せ」ボタンをクリックする

画面左上のホームタブをクリック、配置タブの中にある「右寄せ」ボタンをクリックします。

 出来上がった表を見てみよう！

　出来上がった表を見直してみると、ボタン１つでぐっと表が見やすくなったと思います。
　表を作るときに必ず使うといっても過言ではない中央寄せ、合わせて右寄せも覚えて置いてください。

5 表のデザインを学ぼう

SECTION　キーワード ▶ セルの結合／結合の解除　　サンプル番号　05sec51

51 セルを結合してまとめる

手順解説動画

文字の配置を変更していると、セルをまたいで文字を表示したくなることがあります。そんな時に使えるのがセルの結合です。またこのセルの結合は、コピーするときなど、たまに邪魔になってしまうこともありますので、結合の解除方法も併せて学んでおきましょう。

セルを結合してまとめてみる

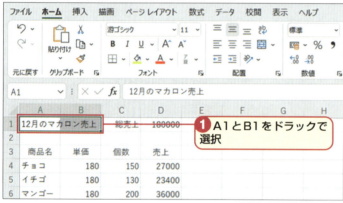

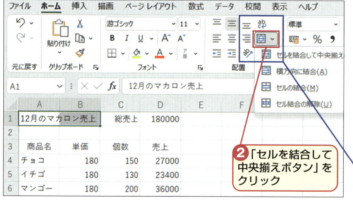

手順1　結合したいセルを選択する

まずは結合したいセルを選択していきます。ここではA1とB1をドラックして選択します。

手順2　セルを結合して中央揃えにする

セルを選択したら、左上のホームボタンをクリックし、配置の中にある「セルを結合して中央揃え」ボタンをクリックします。

メモ　結合をすると中央添えになる

セルを結合すると、中央揃えになります。数字なども中央揃えになってしまうので、右寄せや左寄せに修正が必要になります。

**セルの結合を確認する**

セルをクリックして、セルが結合されて中央寄せになっていることを、確認してみましょう。

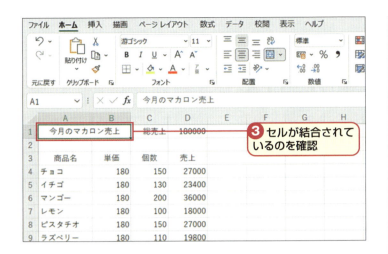

セルの結合を解除する

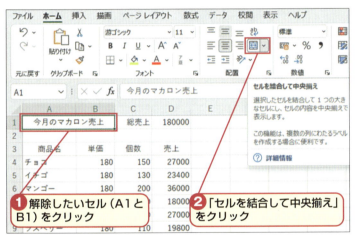

解除したいセルを選択する

A1とA2が結合しているので、解除してみましょう。まずは解除したいセルを選択して、ホームタブの配置にある「セルを結合して中央揃え」ボタンをクリックします。

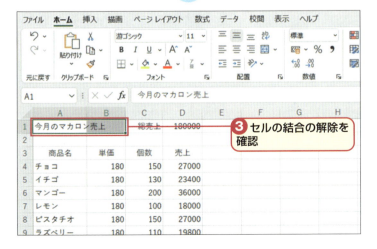

セルの結合の解除を確認する

セルの結合が解除され、文字が左寄せになっていることを確認します。

解除方法は必ず覚えて置こう

解除方法は必ず覚えて置きましょう。というのも、自分以外が結合したセルが邪魔になって、コピーなどが出来ないことが、よくありからです。そんな時は一度結合を解除して、作業を行う必要があるので、必ず解除方法は覚えて置きましょう。

表のデザインを学ぼう 5

183

SECTION　　キーワード▶罫線　　　　　　　　　　　　　　　　サンプル番号　05sec52

52 表に罫線を引く方法

罫線を引かなくても、表の機能には問題はないですが、見やすい表や人に見せるための表を作る場合には、罫線を引くことになります。ここではボタンとダイアログを作った場合、2つの方法を紹介します。罫線の消し方も一緒に学んでおきましょう。

表に罫線を引く（ボタン編）

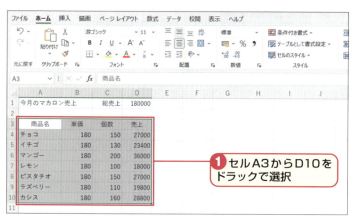

手順1　罫線を引くセルを選択する

まずは罫線を引きたいセルをドラックで選択します。ここではA3からD10までを選択して罫線を引いてみます。

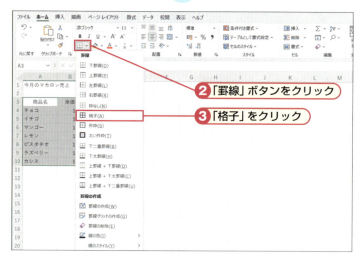

手順2　罫線ボタンをクリックする

画面左上ホームタブの中にあるフォントに、罫線ボタンがあります。このボタンをクリックすると図のようにさまざまな罫線が表示されます。ここでは格子を選んでみます。

メモ　罫線にはさまざまな種類がある

ここでは一番定番な格子を選択してみましたが、罫線にはさまざまな種類があります。また太さや点線、色なども変えることができるので、印象も大きく変わります。塗りつぶしや文字の色のように、気を付けて選んでみましょう。

表に格子の罫線が描かれる

表に格子の罫線が表示されます。ほかにもさまざまな罫線があるので、試してみましょう。

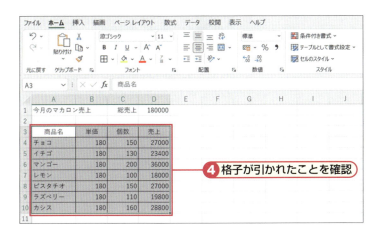

罫線を引く（ダイアログ編）

罫線を引くセルを選択する

先ほどと同じようにまずセルを選択します。ここではセルA3からD10までをドラックで選択します。

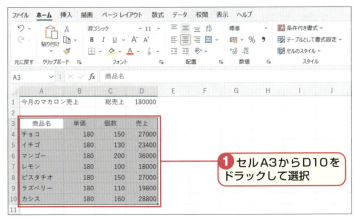

ダイアログを表示する

左上のホームタブ、フォントの中にある斜め右下矢印のマーク（フォントの設定）をクリックして、セルの書式設定ダイアログを表示する。

ボタンとダイアログ どっちがいい？

ボタンではさっくりと罫線を引けるので、簡単な罫線など引きやすいものはお勧めです。またダイアログはというと、色合いをプレビューで見ながらやりたい場合など、細かな設定をしたい場合にお勧めです。うまく使い分けて行きましょう。

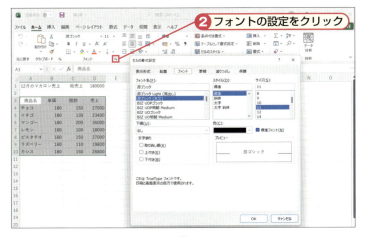

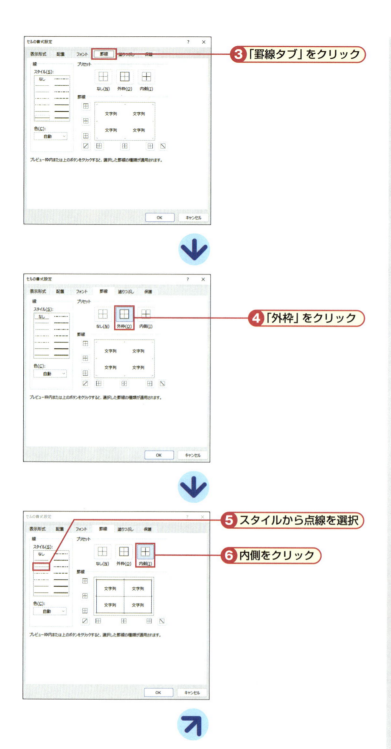

 手順3 罫線タブをクリックする

セルの書式設定の中にある「罫線タブ」をクリックして、罫線の設定画面を開きます。

 手順4 外枠をクリックする

ここでは線の種類や色、線のありなしを細かく設定できるようになっています。まずはプリセットにある「外枠」をクリックします。

 手順5 点線を内側にひく

続いて線スタイルで点線を選んでから、内側をクリックします。

 点線を効果的に使おう

点線を内側にすると内側の印象が柔らかくなり、見やすくなります。また切り取り線などにも使用できるので、点線は意外と便利です。効果的に使っていきましょう。

 プレビューを確認する

外枠と内側の点線がプレビューに表示されていることを確認し、「OK」をクリックします。

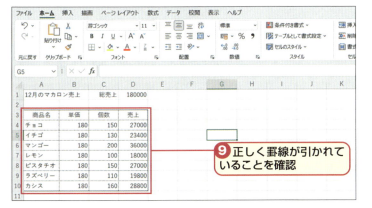

 正しく罫線が引かれたことを確認する

正しく罫線が引かれたことを確認します。ボタンで引く罫線でもダイアログ同様に様々な罫線を引くことができます。

 罫線は最後に引いたほうが吉？

罫線は表の作成時に引いてしまうと、コピーや行の削除などで、罫線が消えてしまったり、罫線がいらないところのコピーで表示されてしまったり、かえって手間を増やすことになってしまいます。罫線は大体形が決まってきた終盤に、まとめて設定することをお勧めします。

罫線を消す

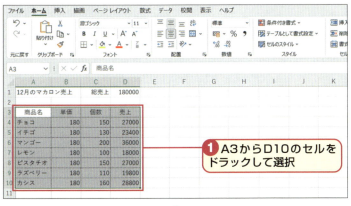

 罫線を一気に消す

罫線を一気に消す方法から学びましょう。まずは罫線を消したい表をドラックで選択します。今回はA3からD10の表をドラックで選択します。

5 表のデザインを学ぼう

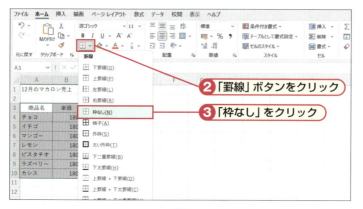

 枠なしを選択する

左上のホームタブ、フォントの中にある罫線ボタンをクリックし、枠なしを選択します。

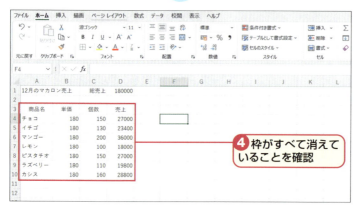

 枠がすべて消えていることを確認

表に戻ると枠がすべて消えていることが確認できます。

消しゴムを使って罫線の一部分だけを消す

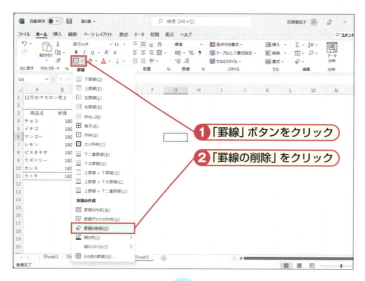

 罫線の一部だけ消す

今度は罫線の一部だけを消す方法を学んでいきましょう。図のように後から行を追加した場合などによく使われます。まずは、画面左上ホームタブ、フォントの中にある「罫線」ボタンをクリックし、下のほうにある「罫線の削除」をクリックします。

 罫線がくっきりしすぎる場合には

罫線がくっきり主張しすぎる場合には、線の色を少しだけグレーにすると、ぐっと柔らかく見やすい線になります。罫線が濃いような？と思ったら、ぜひ試してみてください。

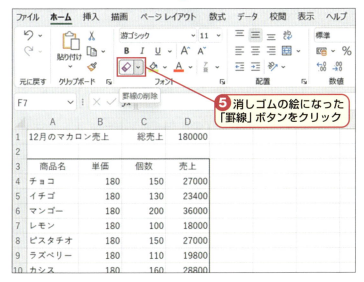

 手順 2　消しゴムで罫線を消す

「罫線の削除」をクリックすると、カーソルが消しゴムの絵になります。この状態で、必要ない罫線の上をドラックで撫でて、罫線を消していきます。

 手順 3　罫線が消えたことを確認する

ドラックで消す方法は多少慣れが必要かもしれません。何度か罫線をなぞって消してみましょう。必要ないすべての罫線が消えたことを確認します。

 手順 4　罫線の削除モードを解除する

罫線が消えた後もカーソルが消しゴムのままになっています。これを解除するには、左上ホームタブ、フォントの中にある、消しゴムの絵になっている「罫線」ボタンをもう一度クリックします。

 注意　必ず「消しゴム」モードの解除を！

手順4で説明していますが、必ず罫線の削除モードの解除を行いましょう。これを行わないと、カーソルが消しゴムのままで、うっかり他の罫線を消してしまうことになります。必ず解除を行いましょう。

5 表のデザインを学ぼう

SECTION　キーワード▶表示形式　サンプル番号　05sec53

53 表示形式の基本

Excelでデータを入力していく上で大切になってくる表示形式は、主にホームタブ内の「数値」の部分にまとめてあります。ここでは、「数値」の中の機能や、「表示形式」について、基本的な操作と種類を学んでおきましょう。

「表示形式」を表示する

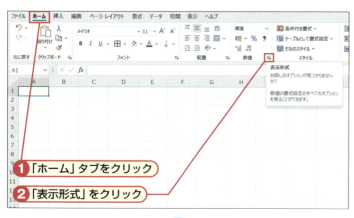

 **「表示形式」をクリックする**

画面上部ホームタブ、数値の右下にある斜め下矢印アイコンをクリックします。

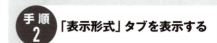 **「表示形式」タブを表示する**

セルの書式設定ダイアログが表示されたら、「表示形式」タブをクリックします。

 **表示形式のショートカット**

セルの書式設定、表示形式のショートカットはctrl＋1です。よく使うショートカットなので、覚えてしまいましょう。

表示形式の種類

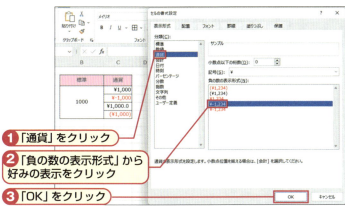

 ①「通貨」をクリック

② 「負の数の表示形式」から好みの表示をクリック

③「OK」をクリック

 手順1 「通貨」の種類を見てみる

表示形式にはさまざまな種類があります。ここでは代表的なものを覚えて置きましょう。まずは、「通貨」を選択し、内容を見てみます。標準を「通貨」で変更すると、表のようにさまざまな通貨表記にすることが可能です。

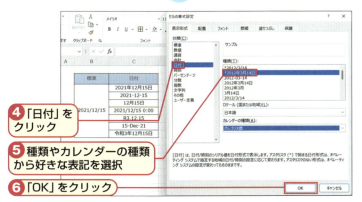

 ④「日付」をクリック

⑤ 種類やカレンダーの種類から好きな表記を選択

⑥「OK」をクリック

 手順2 「日付」の種類を見てみる

続いて「日付」を選択し、内容を見てみます。標準を「日付」で変更すると、表のようにさまざまな日付の表記にすることが可能です。

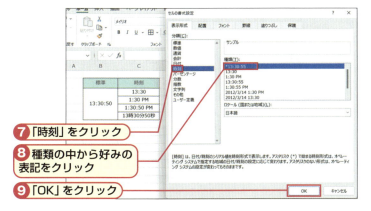

⑦「時刻」をクリック

⑧ 種類の中から好みの表記をクリック

⑨「OK」をクリック

 手順3 「時刻」の種類を見てみる

続いて「時刻」を選択し、内容を見てみます。標準を「時刻」で変更すると、表のようにさまざまな時刻の表記にすることが可能です。

 時短 右クリックでセルの書式設定

Excelの右クリックには、よく使う機能がたくさん表示されるようにできています。セルの書式設定も、右クリックで表示させることができるので、覚えて置きましょう。

SECTION　キーワード ▶ 桁区切りスタイル　　　　サンプル番号　05sec54

54 桁区切りカンマのつけ方

例えば「3000」を「3,000」と桁区切りをする場合、1つ1つ手打ちでやっていては、時間もかかりますし、間違いも起きてしまいます。「桁区切りスタイル」というボタンを使って、自動で桁区切りする方法を覚えて置きましょう。

カンマで桁を区切る

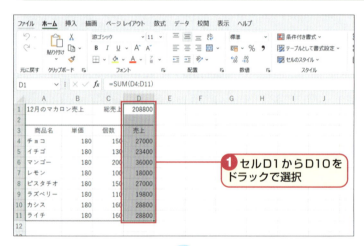

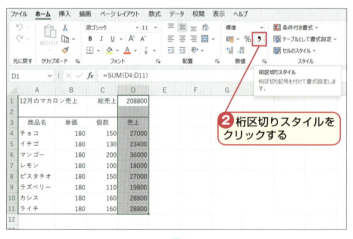

手順1　桁区切りするセルを選択する

まずは、桁区切りしたいセルを選択していきます。ここではD1からD10をドラックで下方向に選択していきます。

手順2　桁区切りスタイルを押す

画面左上のホームタブ、数値の中にある大きなカンママークのボタン「桁区切りスタイル」をクリックします。

時短　桁区切りのショートカット

桁区切りのショートカットは、桁区切りしたい数字のセルを選択してから、ctrl＋shift＋!です。よく使う場合には、覚えてしまうと大変便利です。

完成 桁区切りされたことを確認する

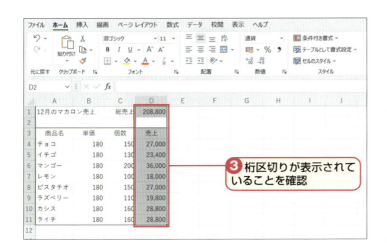

桁区切りがされているのを確認します。ここではD1からD10を選択しましたが、D列全体を選択すると品名が追加された場合でも、自動的に桁区切りが表示されるようになります。

表示形式を使って、より細かな桁区切り設定をする

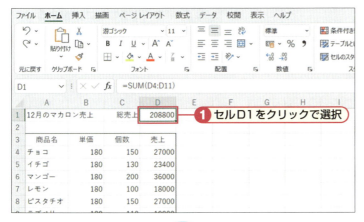

手順1 桁区切りするセルを選択する

続いて、表示形式を使ってもう少し複雑な設定をしていきます。まずは、桁区切りをしたいセルを選択します。ここではD1をクリックで選択します。

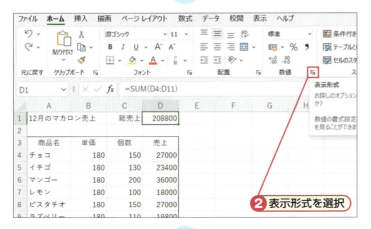

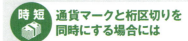
手順2 表示形式を選択する

画面左上ホームタブ、数値の左下の斜め矢印ボタンをクリックし、「表示形式」のダイアログを表示します。

時短 通貨マークと桁区切りを同時にする場合には

通貨マークをクリックすることで通貨マークと桁区切りの両方が一気に設定できます。とても便利なので覚えて置きましょう。

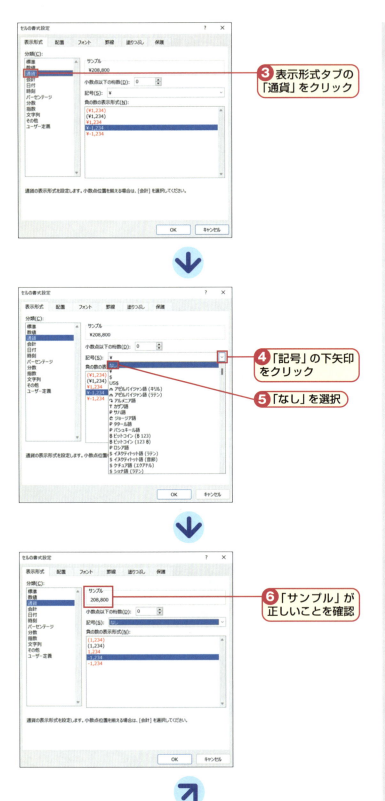

セルの書式設定の「通貨」を選択する

セルの書式設定が開きます。表示形式タブの中、左側に並んだメニューから「通貨」を選びます。

¥マークをなしに設定する

「記号」の右にある下矢印をクリックして通貨単位を選ぶことができます。ここでは¥マークはつけずに「なし」を選択します。

サンプルを確認する

「サンプル」を確認すると先ほどまであった¥マークが消えていることを確認します。

 つけておきたい¥マーク

Excelの表記では「\3,000」とは表記が出来ても、「3,000円」とは出来ません。文字列としては可能ですが、計算式としては使用できないので、今回はなしとしましたが、できるだけ¥マークは入れておくとわかりやすいです。

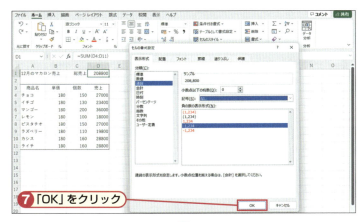

7 「OK」をクリック

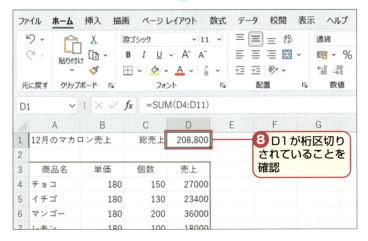

8 D1が桁区切りされていることを確認

手順6　「OK」をクリック

サンプルを確認した後、「OK」を押してダイアログを閉じます。

完成　セルD1の桁区切りを確認

セルD1の総売上が桁区切りされていることを確認します。

 メモ　赤字も選べます！

「通貨」では数値がマイナスの赤字だった場合の表記を選ぶこともできます。赤字か黒字か、マイナスは表記するかカッコ書きにするかどうか、さまざまな形状が選べます。また小数点以下を表示するかしないかも選択できます。負の数の表示形式も、忘れずに設定しておきましょう。

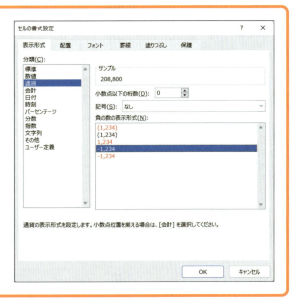

SECTION   キーワード ▶ 表示形式 / 日付   サンプル番号 05sec55

55 日付の表示方法を変更する

Excelでの基本の日付は西暦で半角英数を / で区切ったものになります。しかし日本語で年月日を入れたい時や、元号を表記したい場合も生じてきます。ここでは簡単に日本語表記にする方法と、より細かく設定する方法を併せて学んでおきましょう。

簡単一発「西暦〇年〇月〇日」に表示を変更する

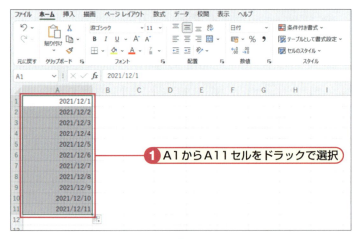

手順1 変更するセルを選択する

まずは日付を変更したいセルを選択します。ここではA1からA11までをドラックで選択します。

手順2 数値の書式を変更する

画面左上のホームタブ、「数値」の中にある「数値の書式」の下矢印をクリックします。出てきた書式の中からここでは「長い日付の形式」をクリックして選択します。

時短 数値の書式にはよく使う書式がたくさん

数値の書式には、普段よく使う書式が、たくさん格納されています。セルの書式設定ダイアログを表示するのが面倒な場合には、ここで設定してしまいましょう。時短になるので覚えて置くと便利です。

完成 表示が変わったことを確認する

数値の書式が「日付」になり、セルA1からA11の表示が変わったことを確認します。また数式バーを見てみると、内容は「2021/12/1」のままになっていることも、併せて確認しましょう。

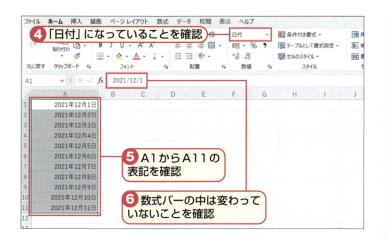

日付を元号で表示するよう変更する

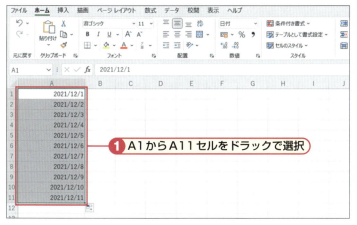

手順1 変更したいセルを選択する

まずはセルを選択していきます。ここではA1からA11までをドラックで選択します。一列丸ごと変更したい場合には列Aを選択する方法もあります。

メモ 日付は「2022/01/03」形式で入力！

Excelに日付として認識してほしい場合には、「2022/01/03」といったスラッシュで区切る数字だけの形式で、入力しましょう。

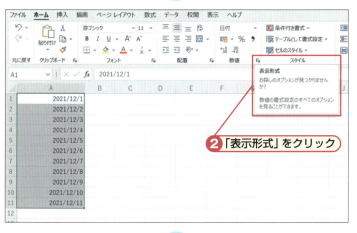

手順2 表示形式をクリックする

画面左上ホームタブ、数値の右下にある斜め矢印のアイコンの「表示形式」をクリックします。

 「日付」をクリック

 手順3 「日付」を選択する

セルの書式設定が開きます。「表示形式」の左側に並んだメニューから「日付」を選択します。

 「カレンダーの種類」の下矢印をクリック
「和暦」をクリック

 手順4 「和暦」を選択する

「日付」の右側にある「カレンダーの種類」の右の下矢印マークをクリックします。グレゴリオ暦と和暦が表示されるので、ここで「和暦」を選択します。

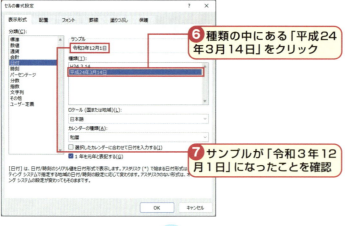

種類の中にある「平成24年3月14日」をクリック
サンプルが「令和3年12月1日」になったことを確認

 手順5 「平成24年3月14日」と書かれた項目をクリックする

種類の中にある「平成24年3月14日」と書かれた項目をクリックします。その上にあるサンプルが「令和3年12月1日」になったことを、確認します。

メモ　選択肢は平成ですが令和になります

ここで選択する表記は平成ですが、サンプルを見てわかるように、ちゃんと実際には令和何年といった形に表示してくれます。Excelのバージョンが上がると、いずれ平成表記も令和になっていくと思います。

 「OK」をクリック

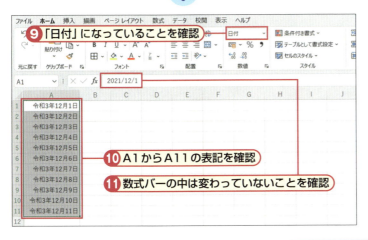

⑩ A1からA11の表記を確認
⑪ 数式バーの中は変わっていないことを確認

さらに曜日も自動で表示させる

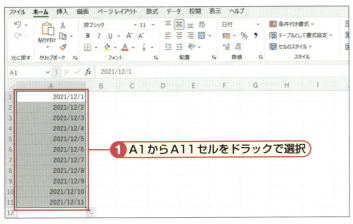

① A1からA11セルをドラックで選択

 手順6 「OK」をクリックする

「OK」をクリックしてセルの書式設定を閉じます。

 メモ H24.3.14の表記を選ぶと？

こちらも平成表記と同じように、「R03.03.14」といった風に、きちんと令和で表示されます。安心して活用してください。

 完成 表示が変わったことを確認する

数値の書式が「日付」になり、セルA1からA11の表示が変わったことを確認します。また数式バーを見てみると、内容は「2021/12/1」のままになっていることも、併せて確認しましょう。

 手順1 変更したいセルを選択する

まずはセルを選択していきます。ここではA1からA11までをドラックで選択します。

5 表のデザインを学ぼう

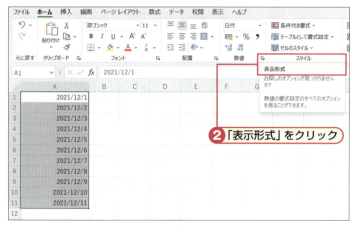

 表示形式をクリックする

画面左上ホームタブ、数値の右下にある斜め矢印のアイコンの「表示形式」をクリックします。

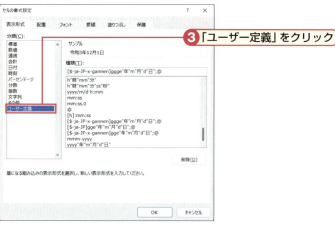

 「ユーザー定義」を選択する

左側のメニューから「ユーザー定義」を選択します。

 ユーザー定義は便利！

ユーザー定義では細かな表記の編集が出来ます。とても便利なので使い方の一例として覚えて置きましょう。最初はよくわからない英語が並んでいるように見えますが、サンプルを見ながらパターンを理解すると、とても便利に使うことができます。

 「[$-ja-JP-x-gannen]ggge"年"m"月"d"日";@」を選択する

左側の種類にさまざまな表記が表示されます。その中から「[$-ja-JP-x-gannen]ggge"年"m"月"d"日";@」を選択します。ちょっと長くてややこしく選びにくいですが、サンプルに「令和3年12月1日」と表示されます。

(aaa)と入力

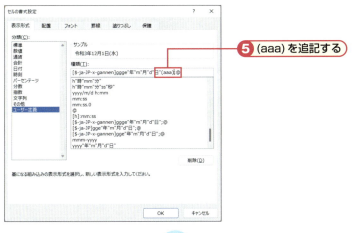

種類の「[$-ja-JP-x-gannen]ggge"年"m"月"d"日";@」の書かれた部分をクリックすると、カーソルが表示されて、編集できるようになります。ここでは曜日を表示するために画像のように、d"日"の後に(aaa)と入力します。

手順6 「OK」をクリックする

(aaa)の入力が完了したら「OK」を押してダイアログを閉じます。

メモ ユーザー定義でよく使うキーワード

ユーザー定義では、以下のキーワードがよく使われます。
yyyy→4桁の西暦　　ggge→元号
m→月　　d→日　　aaa→曜日
h→時　　mm→分
などです。これらをうまく組み合わせて、好みの表記に変えてみましょう。

完成 曜日が表示されたことを確認

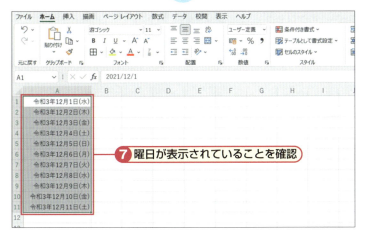

「令和3年12月1日(水)」と元号と曜日が、正しく表示されていることを確認します。ユーザー定義はさまざまな表記をすることができます。ネットなどで調べて自分の欲しい表記を作ってみましょう。

SECTION キーワード▶書式のコピー サンプル番号 05sec56

56 書式だけコピーして使う

せっかく作成した表の書式を、別の表でも使いたい、そんな時に使えるのが書式のコピーです。WordやPowerPointでも使える便利な機能なので、ぜひ覚えて置きましょう。また、逆に書式や関数をコピーしたくない場合についても、併せて学びましょう。

書式をコピーして別の表を簡単に装飾する

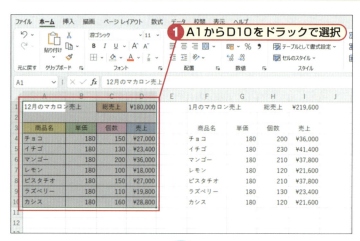

手順1 コピーしたい書式を持つセルをドラッグする

まずはコピーしたい書式を持ったセルをドラックで選択します。ここではA1からD10を選択します。

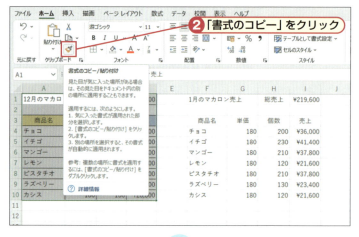

手順2 「書式のコピー」をクリックする

画面上部ホームタブの中にある、クリップボード内の「書式のコピー」アイコンをクリックして書式をコピーします。

時短 形式を指定して貼り付けのショートカット

コピーして貼り付ける際に、ctrl＋alt＋Vを押すと、形式を選択して貼り付けというダイアログが出てきます。ここで書式を選んでOKを押しても、書式の貼り付けが可能です。このショートカットは、さまざまな貼り付けを選ぶことができるので、ぜひ覚えてしまいましょう。

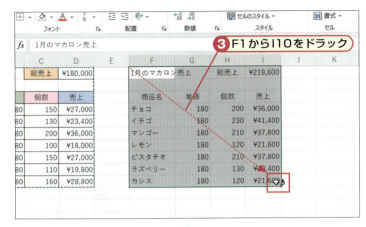

手順 3 書式を貼り付けたい表をドラックする

「書式のコピー」をクリックするとカーソルに刷毛のようなアイコンが表示されます。その状態で今度は書式を変えたい表を選択していきます。ここではF1からI10をドラックします。

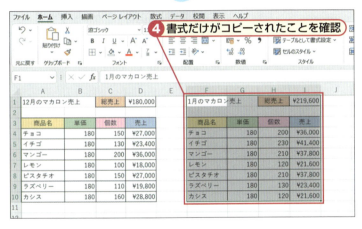

手順 4 書式がコピーされたことを確認する

ドラックした部分に、書式だけがコピーされたことを確認します。

書式のコピーのキャンセル

書式をコピーしようと思ったけど、やっぱりやめようと思ったとき、カーソルの刷毛のマークを消すためには、もう一度書式のコピーアイコンをクリックしましょう。刷毛のマークが消えて、通常のカーソルに戻ります。

書式や関数をコピーしたくない場合の値の貼り付け方法

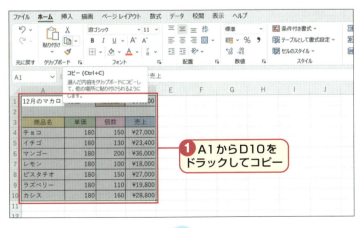

手順 1 書式や関数をコピーしたくない範囲を選択する

今度は逆に、書式や関数をコピーしたくない場合の貼り付け方も覚えて置きます。まずは貼り付けたい表の選択をします。ここではA1からD10をドラックで選択し、「コピー」をします。

手順2　表を貼り付けたいセルをクリックする

続けて、表を貼り付けたい場所のセルをクリックします。ここではF1をクリックします。

手順3　「貼り付け」をクリックする

画面上部ホームタブの中にある「貼り付け」をクリックします。

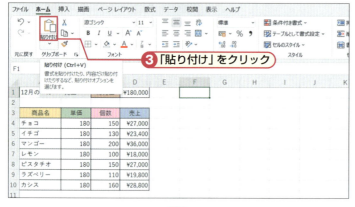

手順4　「値」をクリックする

「貼り付け」をクリックすると、さまざまな貼り付け方法が表示されます。その中で、値の貼り付けの左端に123と書かれた「値」アイコンがあります。「値」アイコンをクリックします。

メモ　値の貼り付けは使える！

ここでは値の貼り付けを行っています。値の貼り付けは、それまであった関数も消えて、答えだけが表示されます。関数が複雑になりすぎた場合、一度値を貼り付けて、そこから関数を重ねることもでき、また関数を表示したくない場合にも使えます。必ず覚えて置きましょう。

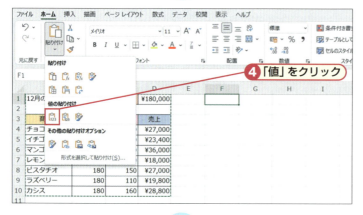

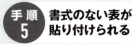

手順 5 　書式のない表が貼り付けられる

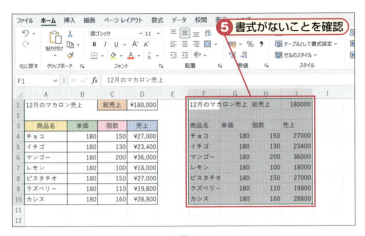

F1に貼り付けられた表を見てみます。色の塗りつぶしや¥マーク、桁区切りなどの書式がないことを確認します。

手順 6 　関数もなくなっている

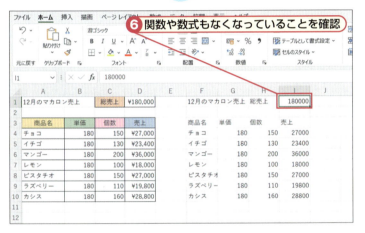

書式だけでなく、計算式がなくなって結果の数字のみが表示されているのを確認します。これが値の貼り付けです。

貼り付けには他にもさまざまな種類がある

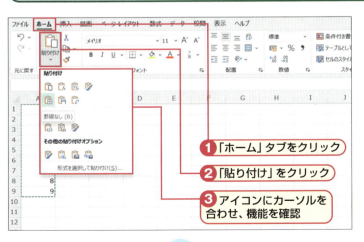

手順 1 　貼り付けの種類を確認してみる

貼り付けには書式を貼り付ける、値を貼り付ける以外にもさまざまな種類があります。まずはその種類を確認してみましょう。ホームタブにある貼り付けボタンをクリックします。たくさんのアイコンが並びますが、カーソルを乗せると内容がわかるようになっているので、種類を確認しましょう。

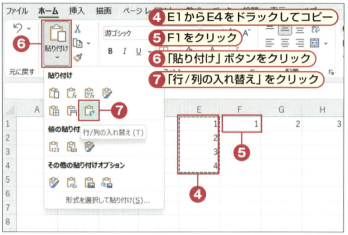

 手順 2 「行/列の入れ替え」を選択する

縦に続けて入力したデータを、横にしたい場合に使うのが、「行/列の入れ替え」です。ここでは1から9と縦に並べたデータを横にしてみます。セルA1からA9をコピーし、貼り付けボタンをクリックします。貼り付けの種類の中から「行/列の入れ替え」を選択します。

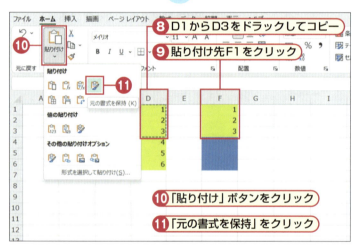

 手順 3 「元の書式を保持」をクリックする

続いて「元の書式の保持」は、貼り付けた際に元々持っていた書式をそのままに貼り付ける事ができます。まず貼り付けたいセルをドラッグしコピー、貼り付け先のセルを選択した状態で、貼り付けボタンをクリックして、「元の書式の保持」をクリックします。

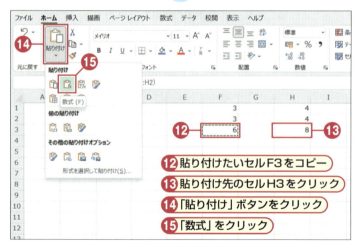

 手順 4 「数式」をクリックする

「数式」は、数式だけをコピーする貼り付けです。ここでは足し算の数式をコピーしてみます。まずF3をコピーします。H3を選択した状態で、貼り付けボタンを押し、「数式」をクリックします。足し算の数式だけがコピーされます。

6章

わかりやすい
Excelデータの作り方

自分で設定した条件に従って、入力したデータを自動的に目立たせる機能に条件付き書式があります。ルールに則ってセルを強調したいときは条件付き書式を使えると見やすいデータにすることができます。

SECTION　キーワード▶条件付き書式／スパークライン　サンプル番号　06sec57

57 データを区別する機能

数値の大きさや日付、文字など、セルの内容に応じて、自動的に書式を設定できる機能が条件付き書式。表にあるデータの動きをグラフのようにわかりやすく表示できるのがスパークラインです。

条件付き書式とスパークラインを知る

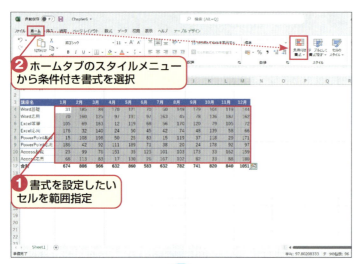

手順1　条件付き書式を設定する

条件付き書式を反映させたいセルを範囲指定します。
[ホーム]タブの[スタイル]メニューにある[条件付き書式]を選択します。

手順2　条件付き書式のルールから設定したい項目を選択する

データ内の100より大きい数値が強調されるように書式を設定します。[セルの強調表示ルール]の[指定の値より大きい]から設定します。

完成 指定した数値のセルが自動的に強調表示された

100より大きいデータが強調されたのが分かります。データの数値を変更すると、それに合わせて条件付き書式が反映されます。

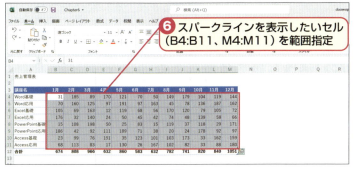

手順3 スパークラインを使ってみる

表の行ごとの数値の動きをセル内にスパークラインとして表示させるために、セルを範囲指定します。

手順4 スパークラインを挿入する

スパークラインとして表示させたいデータの含まれているセル(B4:B11、M4:M11)を範囲指定します。[挿入]タブの[スパークライン]メニューからグラフの種類を選択します。[スパークラインの作成]ダイアログボックスでスパークラインを表示させるセル範囲を指定します。

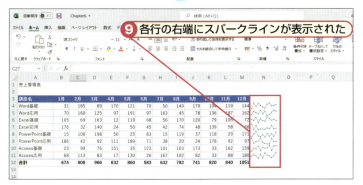

完成 スパークラインが挿入された

行のデータの推移を表すスパークラインが表示されました。

SECTION　キーワード▶条件付き書式ルール　サンプル番号　06sec58

58 セルの内容で自動的に書式を設定させる

セルの内容に対して、どのような条件を指定して書式設定できるかを理解します。条件はあらかじめ用意された項目一覧から選択するほか、自分で一から作成することもできます。

セルに設定したい条件と書式を指定する

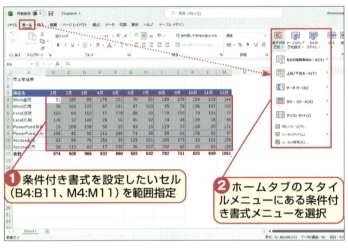

❶ 条件付き書式を設定したいセル（B4:B11、M4:M11）を範囲指定

❷ ホームタブのスタイルメニューにある条件付き書式メニューを選択

 条件付き書式の設定メニューを選択する

条件付き書式を反映させたいセル範囲を指定し、[ホーム] タブの [スタイル] メニューにある [条件付き書式] メニューから設定メニューを表示させます。

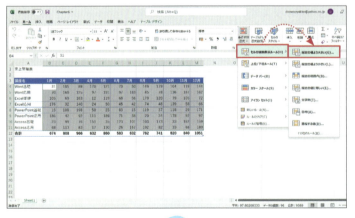

 条件を指定する

[セルの強調表示ルール] から設定したい条件を選択します。ここでは [指定の値より大きい] を選択します。

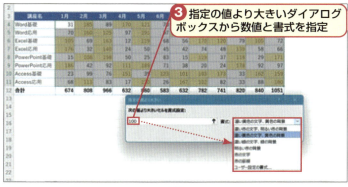

③ 指定の値より大きいダイアログボックスから数値と書式を指定

④ 100より大きい値が強調表示された

手順3 数値を指定する

[指定の値より大きい] ダイアログボックスで数値 (ここでは「100」と入力) を指定し、表示させる書式を選択します。

完成 条件付き書式が反映された

100より大きいデータが強調表示されたのがわかります。

新しい条件書式のルールを作る

新しい条件書式のルールを作りたい場合は、[条件付き書式] から [新しいルール] を選択します。[新しい書式ルール] ダイアログボックスから新たに作りたいルールを選び、[書式] ボタンから強調表示させたい書式のデザインを選択し [OK] をクリックします。

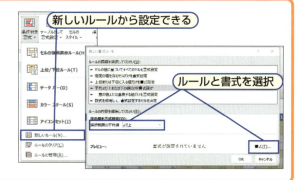

新しいルールから設定できる

ルールと書式を選択

条件書式ルールの管理

[条件付き書式] メニューの [ルールの管理] を開くと、条件付き書式のルールについてさまざまな機能ができます。セルに設定されているルールを確認したり、ルールの編集を行ったり、複数のルールを設定している場合の優先順位などを指定することができます。

複数のルールを設定している場合の優先順位を指定

SECTION　キーワード ▶ 条件付き書式／文字列　　サンプル番号　06sec59

59 指定した文字を含むデータを自動で目立たせる

条件付き書式では、数値だけでなく文字を含むデータも自動で目立たせることができます。文字が含まれたセルに条件付き書式を設定させる方法を学びます。

強調したい文字を含むデータに条件付き書式を設定する

手順1　条件付き書式を設定するセル範囲を指定する

条件付き書式を設定するセル範囲を指定します。

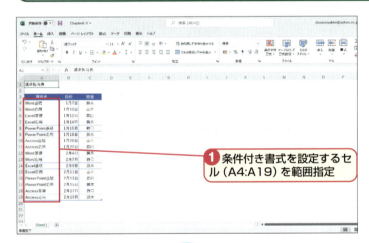

❶ 条件付き書式を設定するセル（A4:A19）を範囲指定

手順2　条件付き書式を設定する

[ホーム] タブの [スタイル] メニューにある [条件付き書式] [セルの強調表示ルール] から [文字列] を選択します。

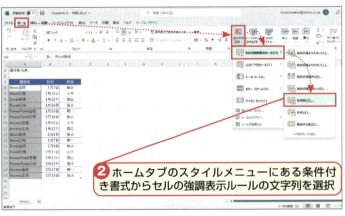

❷ ホームタブのスタイルメニューにある条件付き書式からセルの強調表示ルールの文字列を選択

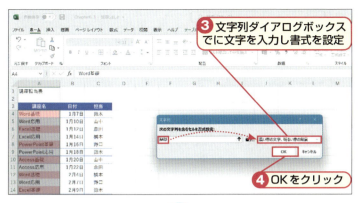

③ 文字列ダイアログボックスでに文字を入力し書式を設定

④ OKをクリック

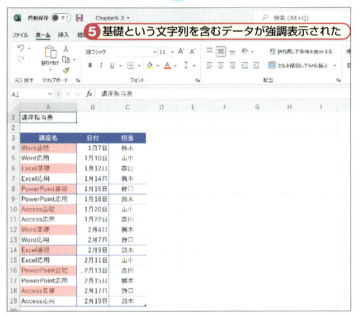

⑤ 基礎という文字列を含むデータが強調表示された

手順3 強調させる文字列を指定する

[文字列] ダイアログボックスに強調させたい文字 (ここでは「基礎」) を入力し、[書式] を選択して [OK] をクリックします。

完成 条件に合うデータが強調表示された

「基礎」という指定した文字列を含むセルに設定した書式が反映されたことがわかります。

メモ 指定した文字列から始まる・文字列から終わるデータを強調

条件付き書式では、「指定した文字列で始まる」「指定の文字列で終わる」といったデータの強調表示も可能です。[ホーム] タブ [条件付き書式] メニュー [セルの強調表示ルール] [その他のルール] を開きます。[新しい書式] ダイアログボックスで設定します。

強調表示させたいデータの、文字列から始まる／文字列で終わるを指定できる

SECTION キーワード▶条件付き書式／日付　サンプル番号 06sec60

60 指定した期間の日付を自動で目立たせる

条件付き書式では、今日、今月、過去7日間など、指定した日付のデータを自動的に目立たせることができます。指定した期間の日付を強調させてみましょう。

指定した期間の日付を強調させる

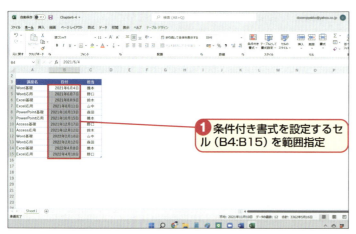

手順1 条件付き書式を設定するセル範囲を指定する

条件付き書式を設定するセル範囲（ここではB4:B15）を指定します。

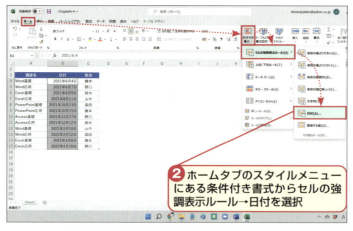

手順2 条件付き書式を設定する

［ホーム］タブの［スタイル］メニューの［条件付き書式］［セルの強調表示ルール］から［日付］を選択します。

214

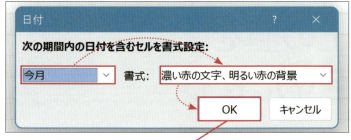

❸ 日付ダイアログボックスに強調させたい文字を入力し、書式を選択してOKをクリック

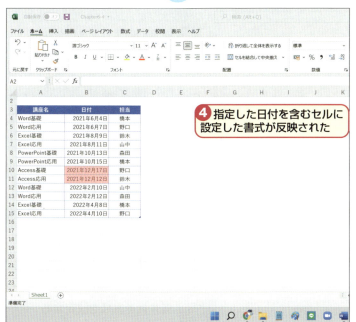
❹ 指定した日付を含むセルに設定した書式が反映された

 手順3 強調させる日付を指定する

[日付] ダイアログボックスに強調させたい日付を入力し、[書式] を選択して [OK] をクリックします。

 完成 条件に合うデータが強調表示された

今月に該当する日付を含むセルに設定した書式が反映されたことがわかります。

 注意 日付のデータが強調されない場合

条件付き書式の日付は、使っているパソコンの日付をもとにしています。パソコンの日付が正しくないと、条件付き書式が反映されません。また、[今日] という日付を指定しても、セルの中に今日の日付が入力されていない場合は強調表示されません。

SECTION キーワード▶条件付き書式／セルの強調表示ルール　　サンプル番号　06sec61

61 一定以上の値を自動で目立たせる

条件付き書式を使うと、値の大きい数値を自動的に強調できるようになります。表の数値を見ただけでは見分けにくい数値の大きさがすぐにわかります。

指定の値より大きいセルの書式を変更する

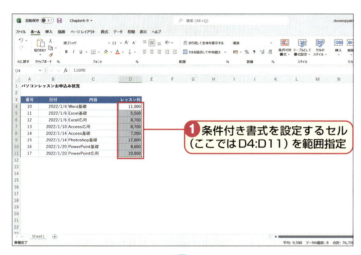

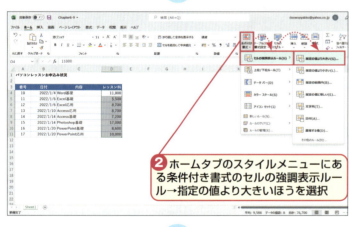

手順1　指定の値より大きいセルの書式を変更する

条件付き書式を設定するセル範囲（ここではD4:D11）を指定します。

条件付き書式を設定するセル（ここではD4:D11）を範囲指定

手順2　条件付き書式を設定する

［ホーム］タブの［スタイル］メニューの［条件付き書式］［セルの強調表示ルール］から［指定の値より大きい］を選択します。

ホームタブのスタイルメニューにある条件付き書式のセルの強調表示ルール→指定の値より大きいほうを選択

216

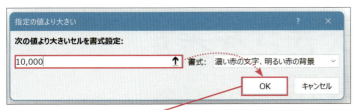

 指定の値より大きいダイアログボックスに、強調させたい数値（ここでは「10000」）を入力しOKをクリック

 手順3 強調させる数値を指定する

[指定の値より大きい]ダイアログボックスに、」強調させたい数値（ここでは「10000」）を入力し、[書式]を選択して[OK]をクリックします。

 完成 条件付き書式が設定された

1万円より大きいデータのセルに書式が反映されたのがわかります。

 注意 指定値の表現について

「指定した値より大きい」という条件付き書式を設定すると、指定した値は含まれませんので注意が必要です。指定した値を含めたい場合は手順5のように「指定した値以上」という条件で設定する必要があります。

 1万円より大きいデータのセルに書式が反映された

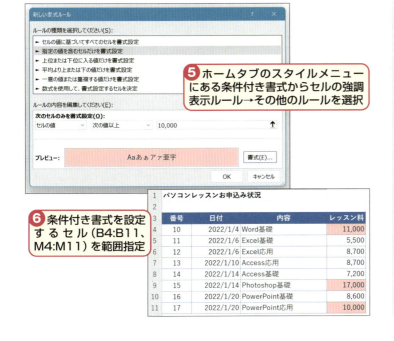

 手順4 指定した数値以上のデータを目立たせる

強調させたいデータに指定した数値も含む場合は、[ホーム]タブ[条件付き書式]メニュー[セルの強調表示ルール]から[その他のルール]を選択します。
1万円も含むセルが強調表示されたことがわかります。

⑤ ホームタブのスタイルメニューにある条件付き書式からセルの強調表示ルール→その他のルールを選択

⑥ 条件付き書式を設定するセル（B4:B11、M4:M11）を範囲指定

SECTION キーワード▶条件付き書式／データバー／ルールの管理　　サンプル番号　06sec62

62 数値の大きさを表すバーの表示

セル内の数値の大きさによって棒グラフのようなバーを各セルに表示するのが、条件付き書式のデータバーです。データバーによって値の大小などが視覚的に把握しやすくなります。

データバーを表示させる

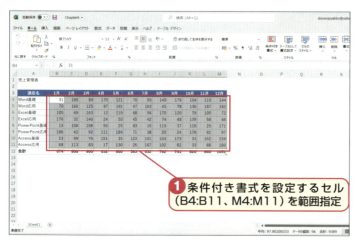

手順1　データバーを表示させるセル範囲を選択する

データバーを表示させるセル範囲（ここではB4:B11、M4:M11）を選択します。

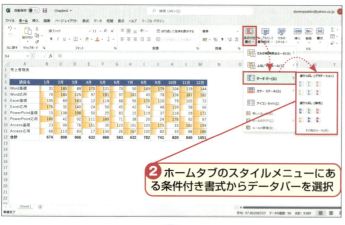

手順2　データバーを表示させる

[ホーム] タブの [スタイル] メニューの [条件付き書式] から [データバー] を選択します。

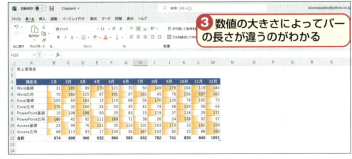

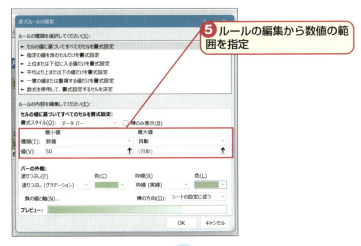

 データバーが表示された

数値の大きさによってバーの長さが違うのがわかります。

手順3 データバーの表示ルールを変更する

条件付き書式が設定されているセル範囲を選択し、[ホーム] タブの [スタイル] メニューの [条件付き書式] の [条件付き書式ルールの管理] を開き、[ルールの編集] から数値の範囲を指定します。

 データバーの表示方法が変わった

数値の大きさによってバーの表示が変わったのがわかります。

SECTION キーワード ▶ 条件付き書式／カラースケール／ルールの管理　　サンプル番号　06sec63

63 数値の大きさによって自動で色分けする

セルの数値の大きさによって各セルを色分けするのが、条件付き書式のカラースケールです。色の違いでデータの分布状態や値の大小などが視覚的に把握しやすくなります。

カラースケールを表示させる

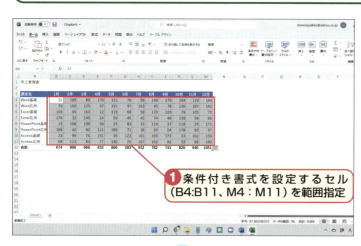

❶ 条件付き書式を設定するセル（B4:B11、M4：M11）を範囲指定

手順1 カラースケールを表示させるセル範囲を選択する

カラースケールを表示させるセル範囲（ここではB4:B11、M4：M11）を選択します。

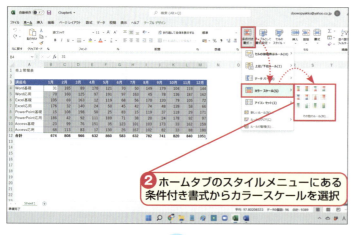

❷ ホームタブのスタイルメニューにある条件付き書式からカラースケールを選択

手順2 カラースケールを表示させる

［ホーム］タブの［スタイル］メニューの［条件付き書式］から［カラースケール］を選択。

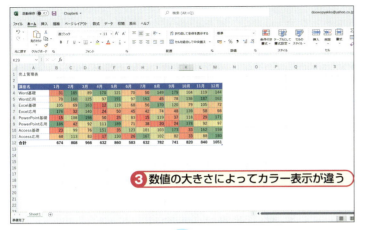

③ 数値の大きさによってカラー表示が違う

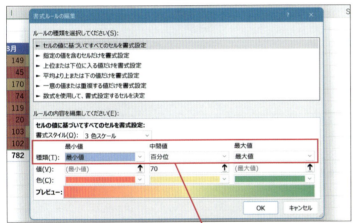

④ 条件付き書式のルールの管理を開き、数値の範囲を指定

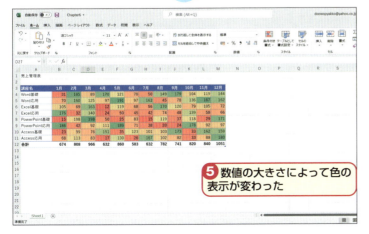

⑤ 数値の大きさによって色の表示が変わった

完成 カラースケールが表示された

数値の大きさによってカラー表示が違うのがわかります。

手順3 カラースケールの表示ルールを変更する

条件付き書式が設定されているセル範囲を選択し、[ホーム] タブの [スタイル] メニューの [条件付き書式] の [ルールの管理] を開き、数値の範囲を指定します。

完成 カラースケールの表示方法が変わった

数値の大きさによって色の表示が変わったのがわかります。

SECTION キーワード▶条件付き書式／アイコンセット／ルールの管理　サンプル番号　06sec64

64 数値の大きさによってアイコンを付ける

セルの数値の大きさによって各セルの左にアイコンを表示するのが条件付き書式のアイコンセットです。アイコンの違いでデータの分布状態や値の大小などを表示することが出来ます。

アイコンセットを表示させる

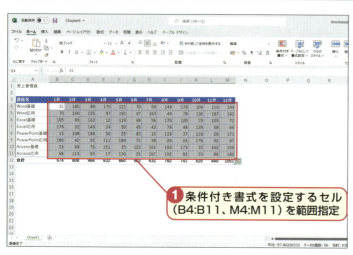

❶ 条件付き書式を設定するセル（B4:B11、M4:M11）を範囲指定

| 手順1 | アイコンセットを表示させるセル範囲を選択する |

アイコンセットを表示させるセル範囲（ここではB4:B11、M4:M11）を選択します。

❷ ホームタブのスタイルメニューにある条件付き書式からアイコンセットを選択

| 手順2 | アイコンセットを表示させる |

［ホーム］タブの［スタイル］メニューの［条件付き書式］から［アイコンセット］を選択。

③ 数値の大きさによってアイコン表示が違うのがわかる

完成　アイコンセットが表示された

数値の大きさによってアイコン表示が違うのがわかります。

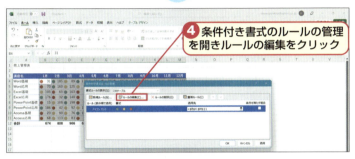

④ 条件付き書式のルールの管理を開きルールの編集をクリック

手順3　アイコンセットの表示ルールを変更する

条件付き書式が設定されているセル範囲を選択し、[ホーム] タブの [スタイル] メニューの [条件付き書式] の [ルールの管理] を開き、数値の範囲を指定します。

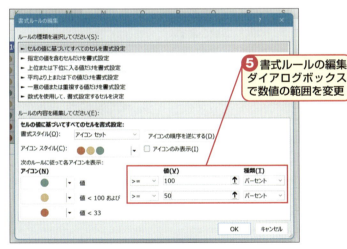

⑤ 書式ルールの編集ダイアログボックスで数値の範囲を変更

⑥ 数値の大きさによってアイコン表示が変わった

完成　アイコンセットの表示方法が変わった

数値の大きさによってアイコン表示が変わったのがわかります。

SECTION キーワード▶条件付き書式／ルールのクリア／ルールの管理　サンプル番号　06sec65

65 条件付き書式の設定の解除

条件付き書式を解除するには、選択したセル範囲のルールを解除する方法と、シート全体のルールを解除する方法とがあります。いずれも簡単に解除でき、入力されたデータ内容が変わることはありません。

条件付き書式を解除する

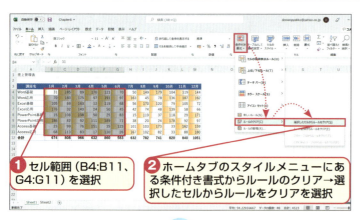

❶ セル範囲（B4:B11、G4:G11）を選択

❷ ホームタブのスタイルメニューにある条件付き書式からルールのクリア→選択したセルからルールをクリアを選択

手順1　セル範囲の条件付き書式の設定を解除する

条件付き書式が設定されているセル範囲（ここではB4:B11、G4:G11）を選択し、[ホーム]タブ[スタイル]メニューの[条件付き書式]から[ルールのクリア][選択したセルからルールをクリア]を選択します。

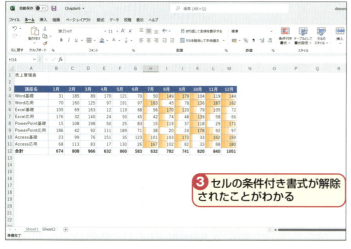

❸ セルの条件付き書式が解除されたことがわかる

手順2　指定したセルの条件付き書式が解除された

指定したセルのみセルの条件付き書式が解除されたことがわかります。

手順3 シート全体の条件付き書式の設定を解除する

[ホーム]タブ[条件付き書式]メニューの[ルールのクリア][シート全体からルールをクリア]を選択します。

 ホームタブのスタイルメニューから条件付き書式→ルールのクリア→シート全体からルールをクリアを選択

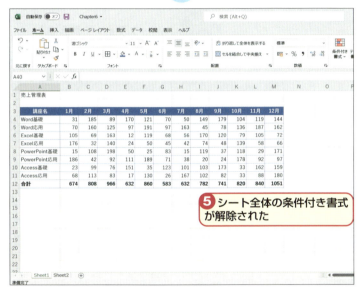

5 シート全体の条件付き書式が解除された

 完成 シート全体から条件付き書式が解除された

シート全体の条件付き書式が解除されたことがわかります。

 メモ 指定した条件付き書式だけを解除します

複数の条件付き書式を設定している場合、条件付き書式が設定されているセル範囲を指定し、[ホーム]タブの[スタイル]メニューにある[条件付き書式]→[ルールの管理]を開きます。[条件付き書式ルールの管理]ダイアログボックスから削除したいルールを選択し、[ルールの削除]をクリックします。

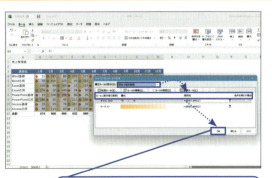

[条件付き書式ルールの管理]ダイアログボックスで削除したいルールを選択し、[ルールの削除]→[OK]をクリック

SECTION キーワード▶スパークライン　　サンプル番号　06sec66

66 数値を棒の長さや折れ線で表現させる

シート内のセルに収まる小さなグラフがスパークラインです。グラフを使わなくても、数値を手軽に視覚化できる便利な機能です。データの推移や傾向を示したり、最大値や最小値を強調表示したりできます。

スパークラインを使う

① スパークラインを表示するセル範囲(N4:N11)を選択し、挿入タブのスパークラインメニューにある折れ線をクリック

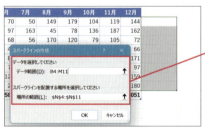

② スパークラインの作成ダイアログボックスで範囲指定

③ スパークラインが表示された

手順1　スパークラインを挿入する

スパークラインを表示するセル範囲（ここではN4:N11）を選択し、[挿入]タブの[スパークライン]メニューにある[折れ線]をクリックします。[スパークラインの作成]ダイアログボックスの[データ範囲]の欄に表のデータ範囲を範囲指定して入力したら[OK]をクリックします。

メモ　スパークラインの設定手順

スパークラインのもととなるデータのセル範囲と、スパークラインを表示したいセル範囲はダイアログボックスで設定できるのでどちらを先に範囲指定しておいても構いません。

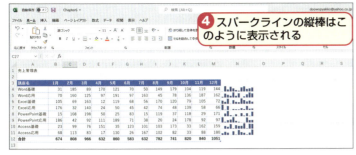

 スパークラインの縦棒はこのように表示される

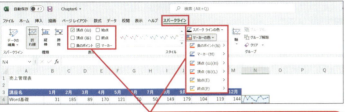

 スパークラインタブの表示メニューと、スタイルメニューから変更

 スパークラインのデザインが変更された

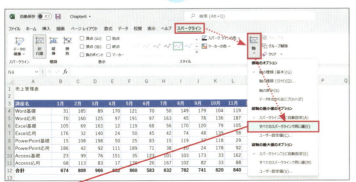

 スパークラインタブのグループメニューから縦軸の最小オプションにあるすべてのスパークラインで同じ値を選択

手順2 スパークラインの種類を使い分ける

スパークラインには、[折れ線]、[縦棒]、[勝敗]の3つの種類があります。数値の推移を見せたい場合は折れ線、数値の大きさを比べさせたい場合は縦棒、数値のプラスとマイナスを表したい場合は勝敗を選びます。

▲選べるのは折れ線・縦棒・勝敗の3つ

手順3 スパークラインのデザインを変える

スパークラインを選択した状態で、[スパークライン]タブの[表示]と[スタイル]でデザインの変更をします。[表示]メニューではマーカーなどの表示項目を、[スタイル]メニューでは色などの要素を選びます。

手順4 スパークラインの軸の数値を揃える

グラフが表している数値の大小を正確に比較するために、軸の最小値や最大値を揃えます。ここでは、[スパークライン]タブの[グループ]メニューから[縦軸の最小オプション][すべてのスパークラインで同じ値]を選択します。

クイック分析ツール

　本章の「条件付き書式」や「スパークライン」は、メニューからだけではなく、セルを範囲指定すると右下に表示される［クイック分析ツール］からでも設定することができます。データのあるシート上で素早く設定できるので便利です。

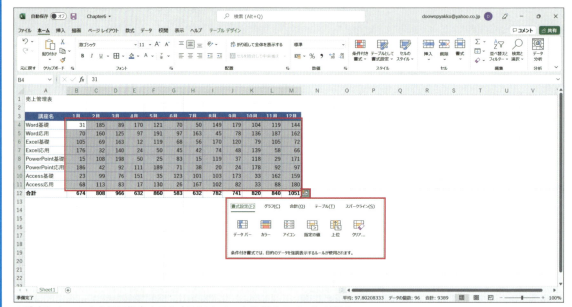

▲設定したいセルを範囲指定すると右下にクイック分析のアイコンが出る

▲クイック分析ツールの条件付き書式

▲クイック分析ツールのスパークライン

7章

データをグラフにする基本操作

Excelでは、入力したデータをもとに、さまざまなグラフを作ることができます。表とグラフの関係を理解して、棒グラフや折れ線グラフ、円グラフなど目的に合ったグラフを作れるようになることを目指します。

SECTION キーワード▶グラフ／グラフの種類／グラフ要素 サンプル番号 07sec67

67 Excelで作れるグラフについて

手順解説動画

グラフを作るにはまずグラフのもととなるデータを入力した表が必要です。表のデータに合ったグラフの作り方を理解しましょう。

データがグラフの要素になることを理解する

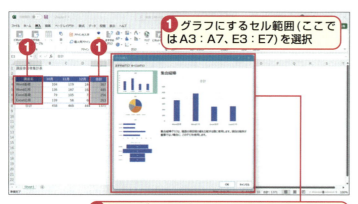

① グラフにするセル範囲（ここではA3：A7、E3：E7）を選択

② 挿入タブにあるグラフメニューからグラフを挿入

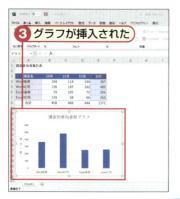

③ グラフが挿入された

④ 表の値を変えると、グラフのデータや縦軸の数値の幅も変わるのが分かる

手順1 グラフを挿入する

表のデータのうち、グラフの要素となるセル（ここではA3:A7、E3:E7）を範囲選択し、グラフを挿入します。離れたセル範囲を選択したい場合は、一つめのセル範囲を選択して、[ctrl]キーを押しながら二つめのセル範囲も選択します。

手順2 挿入したグラフを確認する

データの値を変えてみると、値に合わせてグラフのデータも変化するのがわかります。

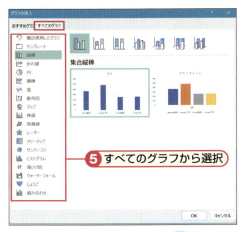

 すべてのグラフから選択

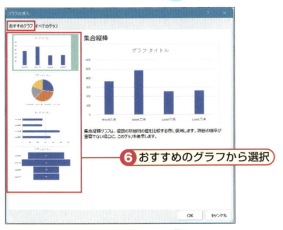

 おすすめのグラフから選択

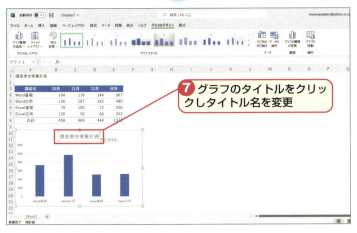

 グラフのタイトルをクリックしタイトル名を変更

 データに合ったグラフを選ぶ

Excelではさまざまなグラフを作ることができます。[グラフ]メニューの[すべてのグラフ]タブを開いて、すべてのグラフから種類を選択します。タブを切り替えて[おすすめのグラフ]から選択することも可能です。

グラフに必要な要素を表示させる

シート内にグラフが作成されたら、グラフの要素をクリックして名前の変更などを行います。

SECTION キーワード ▶ グラフ／おすすめのグラフ／グラフのレイアウト　　サンプル番号　07sec68

68 基本的なグラフ

手順解説動画

データを入力した表をもとに、基本的なグラフを作っていきます。グラフを挿入した後にグラフのレイアウトやデザインを変更することができます。

データの入っているシートにグラフを挿入する

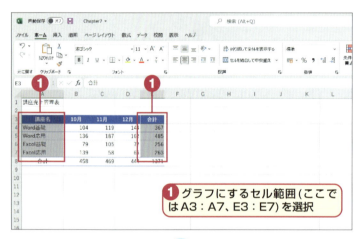

グラフにするセル範囲（ここではA3：A7、E3：E7）を選択

手順1　グラフのもとになる表のセル範囲を選択する

シート内にある、グラフの要素となるセル範囲（ここではA3:A7、E3:E7）をまとめて選択します。離れたセル範囲を選択したい場合は、一つめのセル範囲を選択してから、[ctrl] キーを押しながら二つめのセル範囲も選択します。

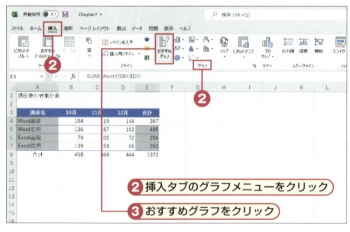

② 挿入タブのグラフメニューをクリック
③ おすすめグラフをクリック

手順2　グラフの挿入する

[挿入] タブの [グラフ] メニューから、[おすすめグラフ] を開きます。

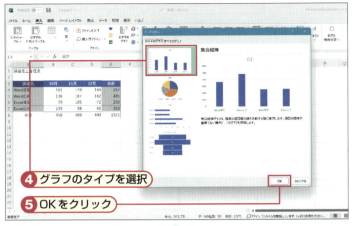

手順3 作りたいグラフを選択する

[おすすめのグラフ] から作りたいグラフの種類を選択し、[OK] をクリックします。おすすめのグラフに作りたいグラフがない場合は [すべてのグラフ] タブを開いて選択します。

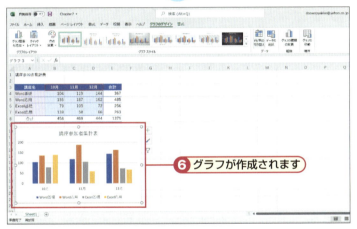

完成 同じシート内にグラフが作成した

シート内にグラフが作成されたら、グラフのサイズを調整したり、グラフを移動したりして見やすく整えます。

データをグラフにする基本操作

メモ グラフツールについて

挿入したグラフをクリックして選択すると、[グラフのデザイン] タブと [書式] タブが表示されます。[グラフのデザイン] タブには、グラフのレイアウトやスタイルなどを変更するボタンが並びます。[書式] タブには、グラフに装飾をしたり書式を設定するボタンが並びます。

▼ [グラフのデザイン] タブ

グラフのレイアウトやスタイルなどを変更するボタンが並ぶ

▼ [グラフのデザイン] タブ

グラフに装飾をしたり書式を設定するボタンが並ぶ

SECTION

キーワード ▶ グラフツール

サンプル番号 07sec69

69 グラフの修正

手順解説動画

挿入したグラフは、移動や大きさの調整ができます。グラフに必要なデータそのものを変更したり、グラフの種類を変更してみましょう。

グラフを見やすいように修正する

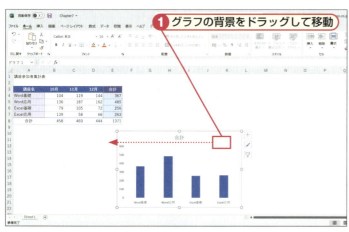

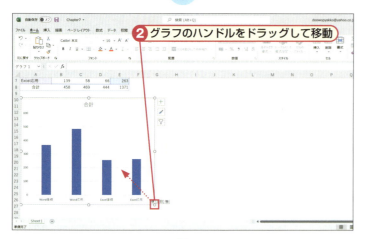

 手順1 **グラフを移動させ配置を変える**

挿入したグラフの中にマウスポインターを持ってくると、[グラフエリア] と表示されます。グラフエリアの何も表示がない部分をドラッグして、配置したい場所まで移動させます。

 裏技 **グラフをセルの枠線に合わせるには**

グラフエリアにマウスポインタを合わせた状態で、[Alt] キーを押したままドラッグすると、セルにピッタリ沿うようにグラフを移動することができます。

 手順2 **グラフのサイズを変更をする**

グラフのサイズを変更したい場合は、グラフエリアをクリックすると表示される四隅のハンドルで調整します。

 裏技 **グラフをセルの枠線に合わせるには**

グラフエリアにマウスポインタを合わせた状態で、[Alt] キーを押したままドラッグすると、セルにピッタリ沿うようにグラフを移動することができます。

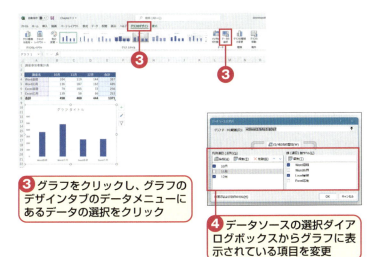

③ グラフをクリックし、グラフの デザインタブのデータメニューに あるデータの選択をクリック

④ データソースの選択ダイア ログボックスからグラフに表 示されている項目を変更

手順3 グラフに必要なデータを変更する

グラフをクリックし、[グラフのデザイン] タブの [データ] メニューにある [データの選択] から、グラフに表示されている項目を変更します。

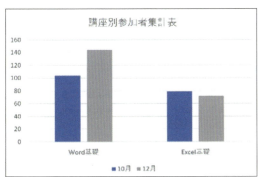

⑤ グラフの表示項目が変わった

手順4 グラフの表示項目が変わりました

グラフに表示される項目が変わったのがわかります。

⑥ グラフの種類の変 更ダイアログボック スからグラフを変更

⑦ グラフが変更された

⑧ 必要であればタイトルも変更

手順5 グラフの種類を変更します

グラフをクリックし、[グラフのデザイン] タブの [種類] メニューにある [グラフの種類の変更] から、グラフの種類を変更します。グラフの変更に合わせて必要であればタイトルの変更なども行います。

SECTION キーワード ▶ 棒グラフ／棒グラフの項目／軸ラベル　　サンプル番号　07sec70

70 棒グラフの作成

手順解説動画

棒の長さでデータの大小を表すことができるのが棒グラフ。縦棒グラフ、横棒グラフといった基本的な棒グラフを作り、項目や軸ラベルの調整をして完成させます。

棒グラフを作り整える

① グラフの要素となるセル範囲（A3:A7、D3:D7）を選択

手順1 セル範囲を選択し棒グラフを挿入する

シート内にある、グラフの要素となるセル範囲をまとめて選択します。[挿入] タブの [グラフ] メニューから [縦棒／横棒グラフの挿入] をクリックします。

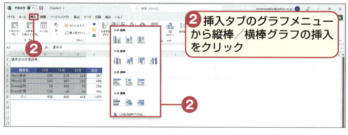

② 挿入タブのグラフメニューから縦棒／横棒グラフの挿入をクリック

手順2 グラフメニューから棒グラフを選択する

グラフにするデータの範囲を選択しましたら、挿入タブにあるグラフメニューで、表示されたグラフの種類から縦棒／横棒グラフの挿入をクリックします。

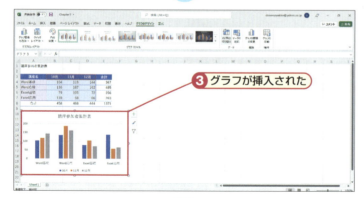

③ グラフが挿入された

完成 棒グラフが挿入された

指定したデータの範囲の棒グラフが挿入されました。

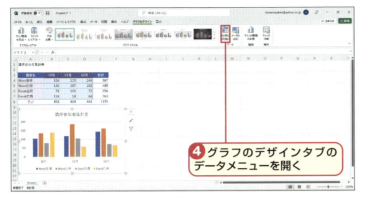

グラフのデザインタブの
データメニューを開く

グラフの中の各項目をダブ
ルクリックすると、書式設定
メニューが表示される

軸ラベルの表示単位は書
式設定の軸のオプションか
ら調整

 手順 3　グラフの縦軸と横軸を入れ替える

棒グラフは縦軸の項目と横軸の項目を入れ替えることができます。[グラフのデザイン] タブの [データ] メニューにある [行／列の切り替え] をクリックして入れ替えます。

 手順 4　棒グラフの項目の書式を変更する

グラフの中の各項目をダブルクリックすると、書式設定メニューが表示され、配置や色などの書式を変更できます。

手順 5　軸ラベルの表示単位を調整する

グラフのもととなるデータの数値が大きい場合、グラフにしたときの表示単位がそのままだと見にくいことがあります。軸ラベルの表示単位は [書式設定] の [軸のオプション] から調整します。

SECTION キーワード ▶ 折れ線グラフ／折れ線グラフの項目／軸ラベル　サンプル番号　07sec71

71 折れ線グラフの作成

手順解説動画

線をつなぐことでデータの増減の推移や変化の動きを表すことができるのが折れ線グラフ。縦棒グラフ、横棒グラフといった基本的な折れ線グラフを作り、軸の最大値・最小値や表示間隔、軸ラベルの調整をして完成させます。

折れ線グラフを作り整えます

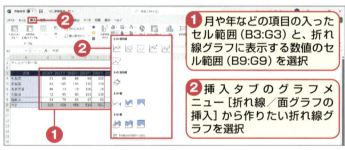

❶ 月や年などの項目の入ったセル範囲（B3:G3）と、折れ線グラフに表示する数値のセル範囲（B9:G9）を選択

❷ 挿入タブのグラフメニュー［折れ線／面グラフの挿入］から作りたい折れ線グラフを選択

 手順1 セル範囲を選択し折れ線グラフを挿入する

月や年などの項目の入ったセル範囲（B3:G3）と、折れ線グラフに表示する数値のセル範囲（B9:G9）を選択し、［挿入］タブの［グラフ］メニューから［折れ線／面グラフの挿入］を開き、作りたい折れ線グラフを選択します。

❸ 折れ線グラフが挿入されました

 手順2 折れ線グラフの項目を調整する

折れ線グラフの中の項目をそれぞれダブルクリックすると、書式設定メニューが表示され、線の色や太さ、マーカーの色やサイズ、形状などを変更できます。

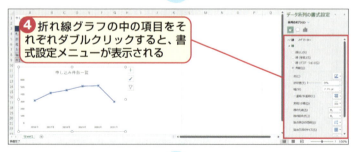

❹ 折れ線グラフの中の項目をそれぞれダブルクリックすると、書式設定メニューが表示される

 手順3 書式設定メニューを確認する

折れ線グラフにある各項目をダブルクリックすると、書式設定メニューが表示されます。書式を変更する際に使います。

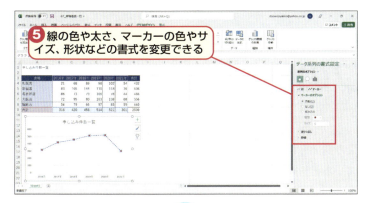

手順4 書式設定でできること

ダブルクリックして表示された書式設定メニューでは、線の色やマーカーの色・サイズ・形状などを設定できます。

手順5 軸の最小値・最大値を変更する

折れ線グラフで表示する、数値の増減幅が少ない場合など折れ線の動きを強調したい場合に、グラフの軸をダブルクリックし、[軸の書式設定]にある[軸のオプション]から最小値・最大値をそれぞれ調整します。

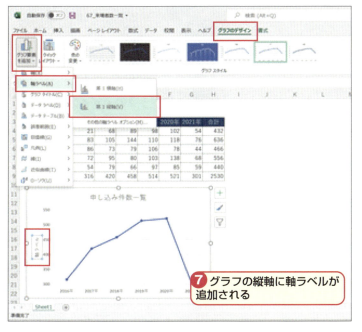

手順6 軸ラベルを追加する

折れ線グラフの軸のそばに、数値の単位などの軸ラベルを入れます。[グラフのデザイン]タブの[グラフ要素を追加]メニューから[軸ラベル]を選択します。

メモ 文字の横向きを簡単に修正する方法

縦軸に入れた軸ラベルは文字が横向きになってしまうので、軸を追加した後に[ホーム]タブの[配置]メニュー[方向]から縦書きに変更します。

SECTION キーワード▶円グラフ／プロットエリア／データラベル　サンプル番号 07sec72

72 円グラフの作成

手順解説動画

円を全体として、各要素の割合を表すことができるのが円グラフ。円グラフにはパーセント表示や項目名が入っていると見やすいものになります。項目の強調方法などデザインの変更もやってみましょう。

円グラフを作り整える

 手順1 円グラフにするデータを選択する

セル範囲を選択し円グラフを挿入します

 手順2 円グラフのプロットエリア項目を調整する

円グラフの項目名をグラフの中に表示させます。

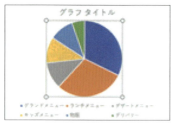

 手順3 円グラフのデザインを変更する

円グラフのデータの一部を強調したり扇を切り離します。

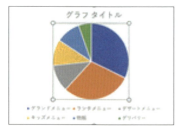

 手順4 円グラフにデータラベルを表示します

240

8章

簡単なデータの整理と表示方法

Excelではたくさんのデータを扱うことが多くなると思います。それゆえにExcelには大量のデータを整理するすべや、びっしりと入った見づらいデータを見やすくする方法など、便利な機能がたくさんあります。ここではそれらについて学んでいきましょう。きっと、「こんな便利な機能があったなんて」と思うことがあるはずです。

SECTION キーワード ▶ リストの作成 / テーブル　　サンプル番号　08sec73

73 リストを作って データを整理させる

ただ表を作るのではなく、扱いやすい見やすい表（リスト）を作ることを心がけましょう。その際、注意するべきことは、意外とたくさんあります。新規にデータを作る場合だけでなく、既にある表も見直してみましょう。

必ず他と被らないキーとなる列を作る

	A	B	C	D	E	F
1	顧客リスト					
2	顧客No	苗字	名前	郵便番号	都道府県	住所
3	T-001	斎藤	一	965-0044	福島県	会津若松市七日町4-20
4	T-002	伊達	政宗	981-0916	宮城県	仙台市青葉区青葉町7－1
5	T-003	伊達	輝宗	981-0931	宮城県	仙台市青葉区北山１丁目１
6	T-004	土方	歳三	040-0063	北海道	函館市若松町３３－６
7	T-005	藤原	香子	520-0861	滋賀県	大津市石山寺１丁目１－１
8	T-006	小野	小町	607-8257	京都市	山科区小野御霊町 35
9	T-007	畠山	重忠	369-1107	埼玉県	深谷市畠山４８８
10	T-008	島津	義久	892-0853	鹿児島	県鹿児島市城山町7-2

❶ 出来ればA列にオンリーワンのキーを作る

手順1　オンリーワンとなる列を用意する

例の場合では、顧客ナンバーですが、社員番号やユーザーIDなど、他とは被らないオンリーワンのキーとなるものを、1つ確立しておきましょう。意外に忘れがちですが、これはたくさんのデータを扱う上で、とても大事になってきます。日付＋通し番号でもいいので、1つ必ず作っておきましょう。

できれば氏名は苗字と名前で分ける

	A	B	C	D	E	F
1	顧客リスト					
2	顧客No	苗字	名前	郵便番号	都道府県	住所
3	T-001	斎藤	一	965-0044	福島県	会津若松市七日町4-20
4	T-002	伊達	政宗	981-0916	宮城県	仙台市青葉区青葉町7－1
5	T-003	伊達	輝宗	981-0931	宮城県	仙台市青葉区北山１丁目１
6	T-004	土方	歳三	040-0063	北海道	函館市若松町３３－６
7	T-005	藤原	香子	520-0861	滋賀県	大津市石山寺１丁目１－１
8	T-006	小野	小町	607-8257	京都市	山科区小野御霊町 35
9	T-007	畠山	重忠	369-1107	埼玉県	深谷市畠山４８８
10	T-008	島津	義久	892-0853	鹿児島	県鹿児島市城山町7-2

❶ 苗字と名前は分けて列を作成する

手順1　氏名は1つにせず、苗字と名前で分ける！

出来ればですが、氏名をデータとして扱う場合には、苗字と名前は列を分けましょう。氏名を入力する際に、人によってスペースを入れたり入れなかったり、あるいは全角スペースだったり半角スペースだったり、まちまちになりがちな部分です。苗字と名前で列を分けることで、スペースが不要になり、検索しやすいデータになります。

横に長いデータよりも縦に長いデータのほうが見やすい

 出来れば表は縦に長いデータで作成する

手順1　出来れば、データは縦に長いほうがいい

Excelでは画面サイズの都合上、横に長いデータよりも、縦に長いデータのほうが見やすいです。どうしても表は横に長くなりがちなのですが、その場合は、画面左下のズームで全体を小さく表示したり、後述する「ウインドウ枠の固定」をうまく使って、見やすい状態にしてから作業しましょう。

必ず作ろう！備考欄！

 備考欄は必ず作る

手順1　作ってますか？備考欄

データには必ず備考欄が付き物です。なぜかというと、入力していく上でどうしても、特例措置が必要な場合が生じるからです。そんな時のために最初から備考欄があると便利です。特例措置があまりに多い場合には、データそのものを対応できるように編集するか、運用を変える必要があります。

テーブルとして書式設定してみる

 A2からE9をドラックで選択

手順1　テーブル化したいセルを全てドラックで選択する

テーブル化したいセルをドラックで選択します。この例ではA2からA9を選択します。

メモ　備考欄の位置は左端とは限らないでいい

備考欄というと、表の左端にひっそりあるイメージですが、意外と重要な内容が書いてあったりします。そのため、備考欄を表の左端に持ってくるのもアリです。使いやすさを重視して、表を作成してみましょう。

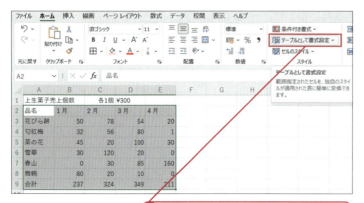

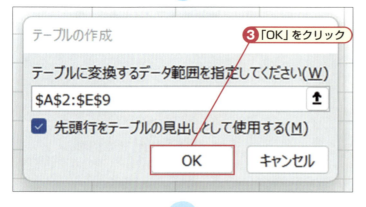

手順2	「テーブルとして書式設定」をクリック

画面左上ホームタブの、スタイルにある「テーブルとして書式設定」をクリックします。

手順3	表に合う色や形状を選ぶ

表に合う色や形状を一覧の中から選んでクリックします。例では、「ゴールド, テーブル スタイル (中間)」を選択します。

手順4	OKをクリック

範囲指定の確認が表示されるので、範囲に間違いがないことを確認して「OK」をクリックします。

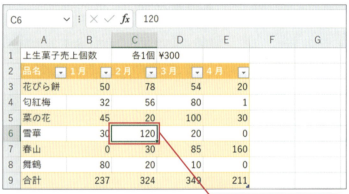

④ テーブルに変換されたことを確認する

 テーブルに変換される

テーブルに変換されると項目に最初からフィルターがつき、行や列を増やしても、書式がそのまま維持されるなど、とても便利な表になります。

テーブルの解除方法も知っておく

① C6をクリックして選択

② 「テーブルデザイン」タブをクリック

 手順1 セルを1つ選択します

テーブルの中ならどこでもいいので、セルを1つクリックして選択します。例ではC6を選択しています。

メモ テーブルとして書式設定するとどんな利点があるの？

表をテーブルに変換することで、効率化できる作業があります。例えば、「列や行を追加した時に書式が自動で変わる」「集計行で簡単に集計が出来る」「1つのセルに計算式や関数を入れると自動で他のセルにも適用される」などです。

 手順2 テーブルデザインタブをクリック

セルを選択した状態にすると、タブの中に「テーブルデザイン」タブが現れます。「テーブルデザイン」タブをクリックします。

 その他をクリック

 「テーブルスタイル」の ˇ を クリック

「テーブルデザイン」タブの中に「テーブルスタイル」という項目があるので、その右端下の ˇ マーク（その他）をクリックします。

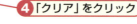 「クリア」をクリック

 色見本の一番下にある 「クリア」をクリック

色見本がたくさん表示されるので、その一番下にある「クリア」をクリックします。

 表の書式が解除される

ここで表の書式が解除されました。引き続き今度は表の機能を解除していきます。

⑤ A2からE9の表の書式が解除されて色がなくなる

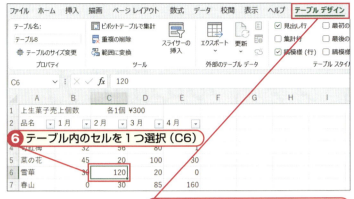

 テーブル内のセルを1つ選択（C6）

 表の機能の解除

テーブル内のセルを1つ選択したままの状態で、「テーブルデザイン」タブをクリックします。

⑦「テーブルデザイン」タブをクリック

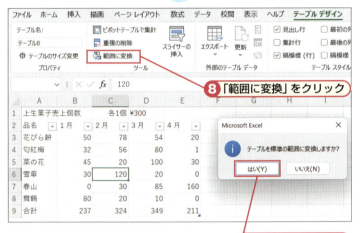

⑧「範囲に変換」をクリック

⑨「はい」をクリック

 範囲に変換をクリック

ツール内にある「範囲に変換」をクリックして、「テーブルを標準の範囲に変換しますか？」と聞かれるので「OK」をクリックします。

⑩ A2からE9が普通の表に戻ったことを確認

 テーブルの指定が解除される

フィルターの表示もなくなり、普通の表に戻すことが出来ました。

 1行飛ばしの書式は残しておきたい！そんな場合は？

書式だけ残しておきたい場合には、テーブルの解除方法の、手順2を行わずに手順3を行うことで、一部の書式はそのまま残ります。

SECTION キーワード ▶ カンマ区切り / 区切り位置　　サンプル番号　08sec74

74 カンマ区切りのテキストファイルの開き方

カンマ区切りのテキストファイルとは、よくサーバーからデータを落とす場合や、データ容量を軽くするために行われます。これをExcelで開く際には、ちょっとひと手間必要になってきます。データの区切り位置という機能でも同じダイアログが使われるので、よく覚えて置きましょう。

カンマ区切りのテキストファイルを開く

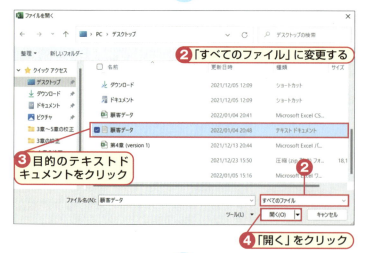

「ファイルを開く」を選択

新しくExcelを立ち上げ、こんにちはと表示された画面で、左側の「開く」をクリックします。

メモ　すべてのファイルにしないとファイルが見当たらない

通常Excelのファイルに限られて表示されているため、csvファイルは表示されますが、テキストファイルは表示されません。必ずすべてのファイルに変更してから探しましょう。また、テキストファイルをプログラムで開こうとすると上手くいかない場合があるので、Excelで開きましょう。

開くファイルを選択する

続いて開くファイルを選択します。この例の場合、デスクトップに目的のテキストファイルがあるので、デスクトップを開き、「すべてのファイル」を表示させます。目標のテキストファイルが見つかったら、クリックして開くを選択します。

手順3 テキストファイルウィザードでコンマ区切りを選択

自動的にテキストファイルウィザードのダイアログが開きます。「コンマやタブなどの区切り文字によってフィールドごとに区切られたデータ」にチェックが入っていることを確認して「次へ」をクリックします。

メモ だいたいの位置で区切りたい場合にはもう片方にチェックを入れる

大体の位置でざっくりとデータを区切りたい場合には、もう片方のチェック、「スペースによって右または左に揃えられた固定長フィールドのデータ」を選ぶと便利です。自分でこのへんと線を引いていく感覚でセルを区切ることが出来ます。

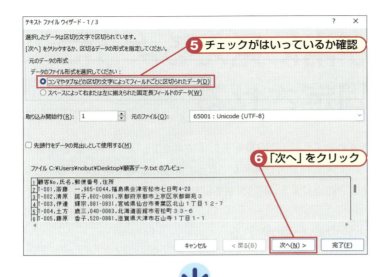

⑤ チェックがはいっているか確認
⑥「次へ」をクリック

手順4 コンマにチェックを入れる

左上区切り文字の「コンマ」にチェックをいれ、プレビューを確認します。問題がなければ「完了」ボタンをクリックします。

メモ 列と列はくっつけるのは簡単、でも逆は一苦労

列と列を結合するのは、関数や計算式などで簡単に行うことが出来ます。ですが、逆に分けるときは機能を使って自動で行うには向かない場合もあります。氏名の他にも、郵便番号を-の前後で分ける、住所の県とそれ以降で分ける、などもよく行われます。

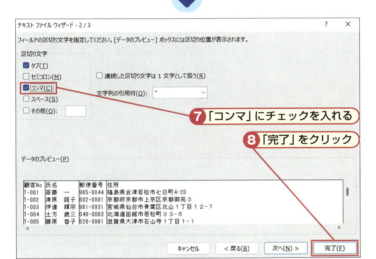

⑦「コンマ」にチェックを入れる
⑧「完了」をクリック

	A	B	C	D	E	F	G
1	顧客No	氏名	郵便番号	住所			
2	T-001	斎藤　一	965-0044	福島県会津若松市七日町4-20			
3	T-002	清原　諾子	602-0881	京都府京都市上京区京都御苑３			
4	T-003	伊達　輝宗	981-0931	宮城県仙台市青葉区北山１丁目１２-７			
5	T-004	土方　歳三	040-0063	北海道函館市若松町３３-６			
6	T-005	藤原　香子	520-0861	滋賀県大津市石山寺１丁目１-１			
7	T-006	小野　小町	607-8257	京都市山科区小野御霊町35			
8	T-007	畠山　重忠	369-1107	埼玉県深谷市畠山４８８			
9	T-008	島津　義久	892-0853	鹿児島県鹿児島市城山町7-2			
10	T-009	徳川　和子	605-0977	京都府京都市東山区泉涌寺山内町２７			

⑨ データの区切られた様子を確認する

完成 カンマで区切られている

データがカンマで区切られていることを確認する。

メモ カンマとコンマは同じもの？

カンマもコンマも発音の違いで同じものを指します。このウィザードではコンマが使われています。

SECTION キーワード ▶ ウインドウ枠の固定/印刷タイトル　サンプル番号 08sec75

75 項目名が常に見えるように画面を固定させる

必ず項目名が常に表示されるように、この設定を行っておきましょう。例えば縦に長いデータの場合、下のほうにいくと項目名が見えなくなって数字の意味するものがわからなくなってしまって面倒なことになります。解除方法も併せて覚えて置きましょう。

ウインドウ枠を固定する

❶ 一度固定したい範囲を選択して固定する位置 (A3) を確認する

❷ A3をクリック　❸ 「表示」タブをクリック

❹ 「ウインドウ枠の固定」をクリック

❺ 「ウインドウ枠の固定」をクリック

手順1 固定させたい部分を選択してみる

固定させたい部分を選択して、どこにウインドウ枠の固定を設定すればいいかを確認しましょう。ここではA1からF2の上方向だけを固定したいので、A3にウインドウ枠の固定を設定します。

メモ 縦も横も固定することが出来ます

今回例では表の上部分を固定しましたが、もしB3でウインドウ枠を固定した場合には、A列も固定されるようになります。いろんな部分を固定して、固定のコツを覚えてしまいましょう。

手順2 A3をクリックしてウインドウ枠を固定

A3をクリックし、画面上部「表示」タブをクリック、「ウインドウ枠の固定」をクリックし、下に表示された中からもう一度、「ウインドウ枠の固定」をクリックします。

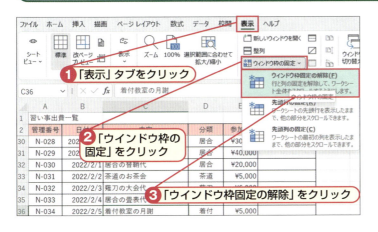

 ウインドウ枠の固定を確認

H2G2の下の枠線が濃くなっていることが確認できます。これでウインドウ枠が固定されました。実際に表の下のほうまで下げても、項目が表示されていることを確認しましょう。

> **メモ ウインドウ枠の固定でデータは消えません**
>
> ウインドウ枠の固定で、表示されなくなったデータが消えてしまったと、勘違いしてしまう方がいますが、ウインドウ枠の固定でデータが消えることはないので、安心して使用してください。

ウインドウ枠の固定を解除する

 ウインドウ枠の解除をクリック

ウインドウ枠があると、かえって邪魔な時もあります。そんな時のために解除方法も学んでおきましょう。先ほどの「表示」タブ「ウインドウ枠の固定」をクリックすると、今度は内容が「ウインドウ枠固定の解除」になっています。ここをクリックしましょう。

 ウインドウ枠の解除を確認する

G2の下のラインが消えて、ウインドウ枠が解除されたことが確認できます。

SECTION キーワード▶画面の分割　　　サンプル番号　08sec76

76 画面を分割して先頭と末尾を表示

画面を2つに分割して、先頭と末尾を表示させることが出来たら便利だなと思ったときは、画面の分割を使用しましょう。ボタン1個でとても簡単に設定できます。また、戻し方も簡単です。ぜひ合わせて学んでおきましょう。

画面の分割方法を覚える

① 分割したい位置の下のセルをクリック（A10）

② 「表示」タブをクリック

③ 「分割」をクリック

手順1 表示タブにある分割をクリックする

まずは固定したい位置の下のセルを、1つクリックで選択します。ここでは例としてA10をクリックしています。場所が決まったら、「表示」タブの中、「新しいウィンドウを開く」の右側にある「分割」をクリックします。

手順2 画面が分割されたことを確認

上下にデータが分かれ、スクロールバーも2つになっていることを確認します。上下とも動かして、先頭と末尾を並んでみられるかどうかやってみましょう。

④ スクロールバーが2つになっていることを確認

メモ　4分割も出来る！

表の真ん中あたりのセルを選択してから「分割」をクリックすることで、4分割画面にすることも可能です。

画面の分割を元に戻す方法を覚える

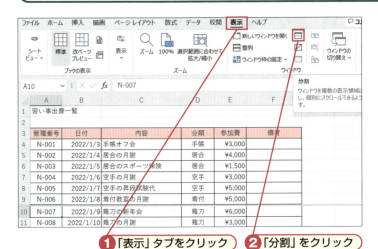

① 「表示」タブをクリック　② 「分割」をクリック

③ 分割が解除されたことを確認

手順1 分割を戻す

分割されているデータを元に戻してみましょう。まずは分割した時と同じように、「表示」タブの中、新しいウインドウを開くの右側にある「分割」をクリックします。

手順2 分割が解除されたことを確認

分割が解除されたことを確認しましょう。

メモ 左右に分割したい場合には？

画面を左右に分けたい、そんな時には、一度四分割にしてから、上下の分割ラインを選択して、上方向にドラックしていくと、上下分割のラインは消えて、左右分割のみになります。

8 簡単なデータの整理と表示方法

SECTION　キーワード▶データのグループ化　サンプル番号　08sec77

77 必要ない行を隠して集計列のみ表示させる

列の非表示化でも、必要のない行は隠せますが、毎日何度も出したり戻したりする際には、データのグループ化がワンクリックで済んで、とても便利です。グループ化の解除も含めて、学んでいきましょう。

グループ化して、必要な列だけ表示する

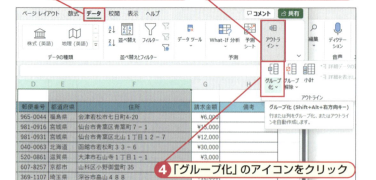

　列DからFをドラックで選択

手順1 隠したい部分を、列ごと選択する

隠したい部分を列ごと選択していきます。ここでは例として、D列からF列をドラックで選択します。

 手順2 DからFをグループ化する

DからFを選択し、画面上部「データ」タブをクリック、アウトラインの「グループ化」のアイコンをクリックします。

 時短 グループ化のショートカット

グループ化のショートカットは、shift+alt+右方向キーです。こまめに使う方は覚えてしまいましょう。

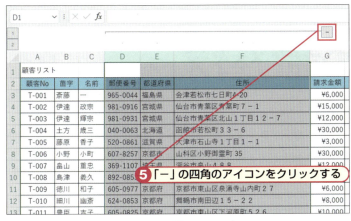

手順3 「-」をクリックしてデータを閉じる

DからFの上にバーが表示され、右端に四角に囲まれた「-」のアイコンが表示されます。このマイナスアイコンをクリックします。

⑤「−」の四角のアイコンをクリックする

⑥ データが非表示になったことを確認する

手順4 データが非表示になったことを確認する

アイコンが「+」になって、データが非表示になりました。もう一度表示するときは、「+」アイコンをクリックすることで元に戻すことが出来ます。

注意 グループを指定する際、離れ小島は出来ない

例えば、A列とC列D列をグループ化することはできません。連続したデータを選択しましょう。

グループ化を解除する

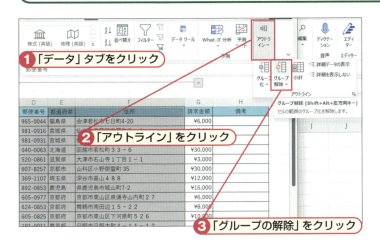

① 「データ」タブをクリック
② 「アウトライン」をクリック
③ 「グループの解除」をクリック

手順1 グループ化を解除する

グループ化を解除する場合には、グループ化した部分を選択してから、もう一度「データ」タブのアウトラインを選択し、「グループ解除」をクリックします。この例ではDからF列を選択します。

SECTION　キーワード ▶ データの並び替え　　　サンプル番号　08sec78

78 データの並び替え

たくさんあるデータほど、並び替えて見やすくする必要があります。単純に昇順降順だけでなく、ここでは様々な条件を指定して、データの並び替えをする方法を、学んでいきましょう。

データを降順昇順で並び替える

手順1　データの中から並び替えたい列のセル1つを選択

データの中から並び替えたい列のセル1つを選択します。ここでは例として請求金額のG3を選択します。

❶ セルG3をクリック

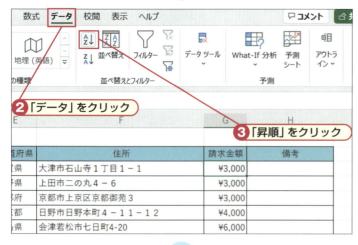

❷「データ」をクリック

❸「昇順」をクリック

手順2　「昇順」をクリック

まずはデータを昇順（小さいほうが上に並ぶように）してみましょう。画面上部の「データ」タブをクリック、並び替えとフィルターから、A→Zアイコンの「昇順」をクリックします。金額が小さいほうが上に並びます。

256

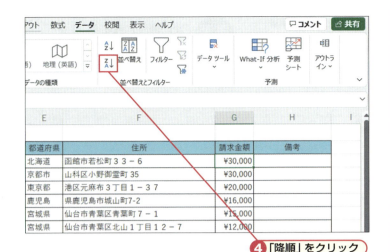

手順3 「降順」をクリック

同じく請求金額の中のセルを選択した状態で、今度はZ→Aのアイコン「降順」をクリックして、請求金額が多い順に、並び変えてみましょう。

メモ データは横一列全部並び変わる

金額が並び変わると同時に、その列全体が並び変わります。金額の書かれたセルだけが動いてしまうことはないので、安心して並び替えを行いましょう。

並び替えの優先順位を指定する

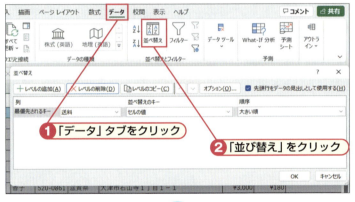

手順1 「並び替え」をクリック

次は並び替えの優先順位を決めて、並び替えてみましょう。まずは、並び替えたい列のセルを1つ選択して、画面上部の「データ」タブをクリック、次に「並び替え」をクリックします。画像のように、並び替えのダイアログが表示されます。

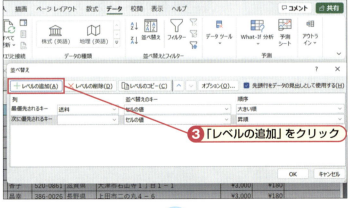

手順2 「レベルの追加」をクリック

並び替えダイアログの中にある「レベルの追加」をクリックします。最優先されるキーの下に、「次に優先されるキー」が新たに追加されます。

手順3 「次に優先されるキー」を変更する

ここでは「次に優先されるキー」を請求金額に変更します。

 請求金額を選択

手順4 「順序」を変更する

「順序」を大きい順に変更し、完了したら「OK」をクリックします。

> **メモ 優先されるキーは複数設定できる**
>
> 優先されるキーは1つだけではなく複数設定することが出来ます。レベルの追加を押すことで、下にどんどん追加されていきます。

 大きい順を選択

6 「OK」をクリック

手順5 請求金額と送料が高い順になる

請求金額と送料が高い順に並び替えることが出来ました。実際の表を見て確認します。

7 請求金額と送料が高い順になっているか確認

並び替えの優先順位を入れ替える

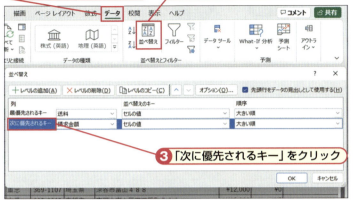

手順1 優先したい並び替えをクリックする

ここでは次に優先するキーになっている「請求金額」を、最優先されるキー「送料」よりも優先してみましょう。まず画面上部「データ」タブをクリックし、「並び替え」をクリックします。「次に優先されるキー」のあたりをクリックして、画像のように青い状態にします。

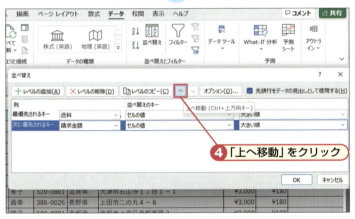

手順2 「上へ移動」をクリックします

青い表示のままでレベルのコピーの右にある「上へ移動」ボタンをクリックします。

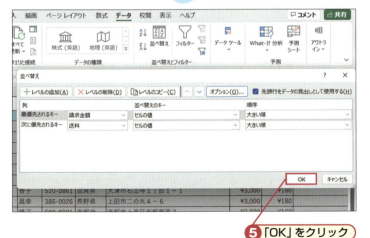

手順3 請求金額が最優先になったことを確認します

最優先されるキーが、請求金額に変更されたら「OK」をクリックします。

ユーザー設定のリストを使用する

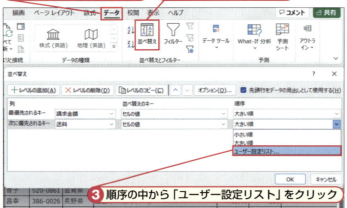

 手順1 「ユーザー設定のリスト」を クリックする

続いて、ユーザー設定のリストを使った、並び替えの設定方法を学んでいきましょう。画面上部「データ」タブの中から、「並び替え」をクリックし、次に優先されるキーの順序から「ユーザー設定のリスト」をクリックします。

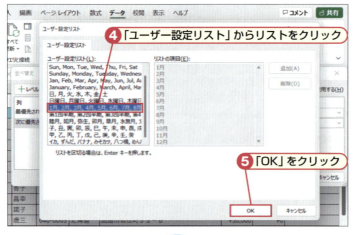

 手順2 「ユーザー設定リスト」から リストの項目を選択

「ユーザー設定リスト」のダイアログが開きます。ユーザー設定リストの中から、必要なリストをクリックします。ここでは「月ごと」をクリックしています。選択が完了したら「OK」をクリックします。

 便利技 ユーザー設定リストは 自分で作れる！

ユーザー設定リストの編集方法は、3章で詳しく説明をしています。独自のリストを作成して、より便利に使いこなしましょう。

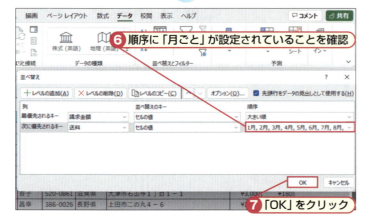

 手順3 「順序」に「月ごと」の設定が されたことを確認

「順序」の欄に1月2月・・・と月ごとのユーザー設定リストが表示がされたことを確認します。

レベルの削除をする

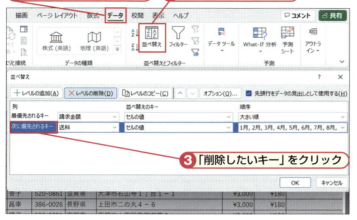

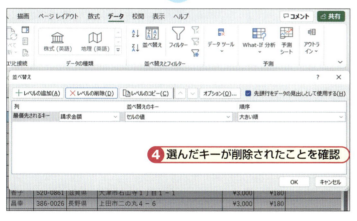

手順1 削除したいレベルをクリックする

まずは、画面上部「データ」タブ、「並び替え」をクリックします。表示されたキーから、削除したいキーをクリックして青く表示させます。ここでは例として、下段のキーをクリックします。

注意 バッサリと削除される

ここでの削除は特に何か聞かれることなく、バッサリと一気に削除されてしまうので、キーを選ぶときは、くれぐれも慎重に、間違えないように選びましょう。

手順2 削除が完了されたことを確認

選んだキーがちゃんと消えたことを確認します。

便利技 フィルターからも昇順降順が出来ます

既に項目にフィルターをかけている場合には、フィルターをクリックすることで、降順昇順を選ぶこともできます。

SECTION キーワード ▶ フィルター　　　サンプル番号 08sec79

79 条件が一致するデータだけを表示する

データの中から、条件が一致するデータを表示する場合には、フィルターという機能を使います。このフィルターは表には必ずつけるといっていいほど、常用するとても便利な機能なので、必ず覚えてしまいましょう。操作も簡単です！

フィルターを設定する

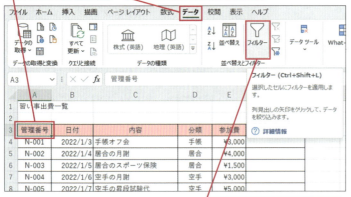

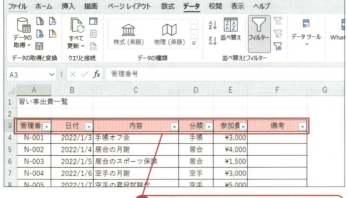

 手順1 「フィルター」をクリック

フィルターの設定を説明していきます。まずは、フィルターをかけたい項目の行の一か所をクリックします。ここでは例としてA3をクリックします。続いて、画面上部の「データ」タブをクリックし、「フィルター」のアイコンをクリックします。

 手順2 「フィルター」が設定されます

3行目の項目にフィルターが設定されました。項目の欄に↓のアイコンが付きます。このアイコン、をクリックして、フィルターを使っていきます。

 注意 フィルターは項目行に設定しよう

フィルターは指定した位置につけることが出来ますが、通常は項目欄に設定します。フィルターは1つのシートに、複数は設定できないので、その点気を付けて設定しましょう。

データを絞り込む

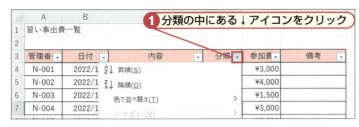

 「分類」の項目の↓をクリック

それでは、データを絞り込んでみましょう。設定したフィルター機能を早速使っていきます。表の「分類」の中にある↓のアイコンをクリックします。

 「すべて選択」をクリックして選択を解除

ここでは全部が表示されているので、すべての項目にチェックが入っています。「すべて選択」をクリックして、チェックを外します。すると、下の項目に入っていたチェックもすべて外れます。何も選択していない状態になります。

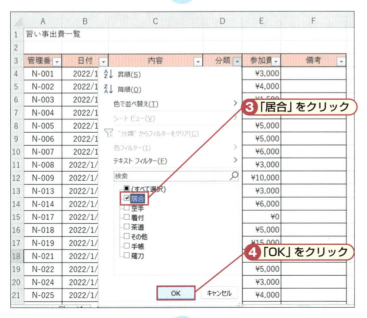

 「居合」をクリックします

チェックの外れた項目の中から「居合」をクリックして、チェックを表示させ、「OK」をクリックします。

 フィルターをかけたばかりは、すべて選択状態

ここですべて選択を外すのがひと手間ですが、フィルターをかけたばかりは、すべてのデータが表示された状態なので、必ず「すべて選択」状態になっています。一度外してから、チェックを入れていきましょう。

⑤「居合」のデータが表示されたことを確認する

	A	B				
1	習い事出費一覧					
3	管理番号	日付	内容	分類	参加費	備考
5	N-002	2022/1/4	居合の月謝	居合	¥4,000	
6	N-003	2022/1/5	居合のスポーツ保険	居合	¥1,500	
15	N-017	2022/1/19	居合の新年稽古会	居合	¥0	
16	N-018	2022/1/20	居合の新年会	居合	¥5,000	
17	N-019	2022/1/21	居合の昇段審査代	居合	¥15,000	
21	N-025	2022/1/27	居合の月謝	居合	¥4,000	
23	N-028	2022/1/30	居合の遠征	居合	¥30,000	
24	N-029	2022/1/31	居合の刀代	居合	¥40,000	
25	N-030	2022/2/1	居合の替鞘代	居合	¥20,000	
27	N-033	2022/2/4	居合の畳表代	居合	¥2,000	
29	N-035	2022/2/6	居合の月謝	居合	¥4,000	

完成 「居合」のデータが表示されました

分類に「居合」と入力されたデータだけが表示されたことを確認しましょう。チェックは1つとは限らないので、例えば、「居合」と「薙刀」と「着付」と入力されたデータを表示させることもできます。

フィルターの設定を解除する

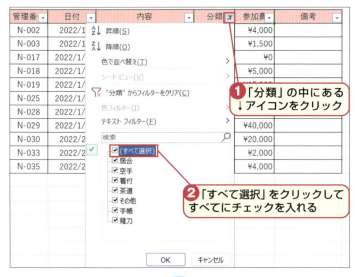

①「分類」の中にある↓アイコンをクリック

②「すべて選択」をクリックしてすべてにチェックを入れる

③他の分類もすべて表示されていることを確認

習い事出費一覧					
管理番号	日付	内容	分類	参加費	備考
N-001	2022/1/3	手帳オフ会	手帳	¥3,000	
N-002	2022/1/4	居合の月謝	居合	¥4,000	
N-003	2022/1/5	居合のスポーツ保険	居合	¥1,500	
N-004	2022/1/6	空手の月謝	空手	¥3,000	
N-005	2022/1/7	空手の昇段試験代	空手	¥5,000	
N-006	2022/1/8	着付教室の月謝	着付	¥5,000	
N-007	2022/1/9	薙刀の新年会	薙刀	¥6,000	
N-008	2022/1/10	薙刀の月謝	薙刀	¥3,000	
N-009	2022/1/11	着付教室の新年会	着付	¥10,000	
N-013	2022/1/15	手帳勉強会	手帳	¥3,000	
N-014	2022/1/16	手帳新年会	手帳	¥6,000	

手順1 「分類」の↓アイコンをもう一度クリック

フィルターの設定がかかっている「分類」の設定を解除しましょう。まずは、「分類」の↓アイコンをもう一度クリックします。「すべて選択」をクリックして、すべての項目にチェックが入ったことを確認します。

メモ ↓アイコンに注目してみよう!

フィルターが設定された項目は、他の項目と違った↓アイコンが表示されます。かかったフィルターを解除するときにはこのマークが目印になります。

手順2 全てが表示されていることを確認

「すべて選択」を選んで全部にチェックが入ったことで、表もすべて表示されています。分類の中にある↓アイコンも元に戻って他と相違ないことを確認します。

特定の文字を持つデータを抽出する

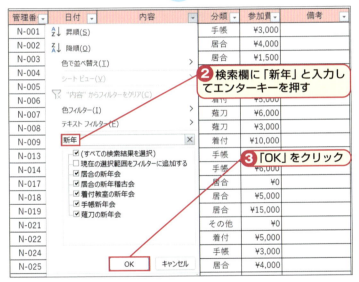

手順1　「内容」の項目の中にある ↓アイコンをクリックする

特定の文字を持つデータを抽出してみましょう。まずは「内容」の項目の中にある↓アイコンをクリックします。

手順2　「検索」に「新年」と入力

テキストフィルターもとても便利な機能なのですが、ここでは手軽に、テキストフィルターの下にある検索を使用していきます。「検索欄」に「新年」と入力して、新年の入った行を表示するように設定します。

便利技　テキストフィルターもとても便利

テキストフィルターでは文字を含む以外にも、この文字を含まない行、など細かな設定が可能です。時間があるときにどんな項目が可能なのか、見ておきましょう。

手順3　「内容」の中で「新年」を持つ行が表示される

「内容」の中で「新年」を持つ行が表示されます。フィルターがかかった状態なので、今度は「内容」の中にある↓アイコンが他の項目とは異なっています。

8　簡単なデータの整理と表示方法

265

色がついたセルを含む行を表示する

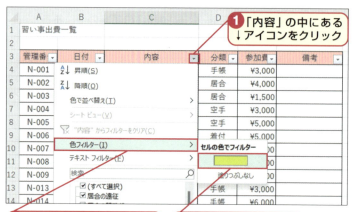

手順1 色フィルターを選択する

「内容」の中にある↓をクリックし、今度は「色フィルター」をクリックします。内容の項目に黄色いセルがあるので黄色が表示されます。黄色の四角をクリックします。

注意 色フィルターが選べるのは1色だけ

この例では、黄色のみなので問題ありませんが、他の色があるときにはセルの色でフィルターの欄に、別の色の四角も並びます。色は1つしか選べないので、この色とこの色どっちも！というわけにいきません。そこは注意して表を作っていきましょう。

手順2 黄色いセルをもつ行が表示される

「内容」の中で黄色いセルを含む行が表示されます。

フィルターの解除

手順1 フィルターの解除

フィルター機能そのものを解除する方法も学んでおきましょう。画面上部の「データ」タブをクリック、「フィルター」をクリック。項目にかかっていた↓アイコンが消えて、フィルター機能が解除されています。

9章

データを集計して活用する

Excelで作成した表のデータは手を加えなくても十分利用価値があります。表のセル範囲をテーブルに変換すると、並べ替え、抽出そして集計が簡単になります。特に集計については基本的な関数を意識せずに使用できるので、関数が苦手なユーザーには大きな利点です。またテーブルや表のセル範囲からピボットテーブルを作成すると、表を別の視点から見られるので、多角的な分析が可能になります。そしてピボットグラフはピボットテーブルを視覚的に表示できる便利なツールです。

SECTION

キーワード ▶ データ集計機能

80 データを集計する さまざまな機能

表のデータを並べ替えたり、抽出したりするにはテーブルに変換するのが近道です。詳細な計算、集計、分析が必要なときはピボットテーブルを作成するといいでしょう。またピボットグラフは表のデータ分析を視覚的に明らかにしてくれます。

テーブルとは？

Excelでは、表のデータのグループの管理と分析を容易にするために、表のセル範囲をテーブルに変換できます。

テーブルでは、すべての列でフィルター処理が有効になります。見出し行にフィルター機能を示す [▼]（フィルター）ボタンが表示され、これをクリックするとテーブルのデータを並べ替えたり、抽出したりできます。

一見普通の表と代り映えはしませんが、[データ] タブに用意される [並べ替え] と [フィルター] の両コマンドを [▼]（フィルター）ボタンに内包しているので、使い勝手がよくなります。

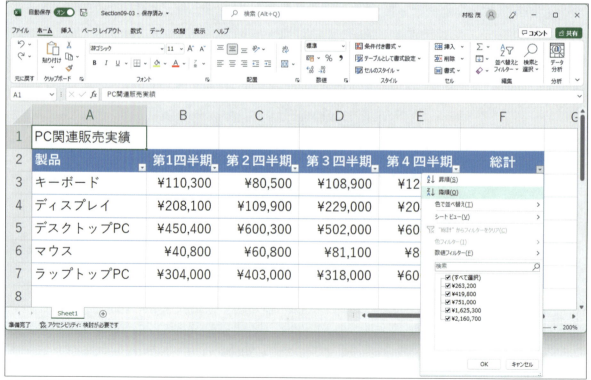

▲テーブルには自動的に [▼] が追加され、並べ替えや・抽出が様にできます

▲［総計］列の数値の降順で並べ替えました

ピボットテーブルとは？

　ピボットテーブルは、大量のデータを迅速に集計するために対話型で作成できるツールです。
ピボットテーブルを使って、数値データを詳しく分析したり、データの傾向に基づいた変動を予測したりできます。つまり一般的にクロス集計と呼ばれる手法が簡単に実現できます。

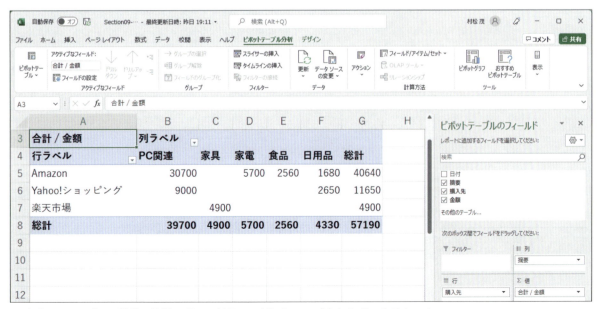

▲ピボットテーブルの特徴は複数の項目に着目して新たなテーブルを作成できる点です

ピボットグラフとは？

ピボットグラフでは、ピボットテーブルの集計データを視覚化し、比較、パターン、傾向を簡単に確認できます。元になるピボットテーブルの行フィールドと列フィールドを入れ替えたり、新たにフィールドを追加したりすると、自動的にピボットグラフの表示も更新されます。

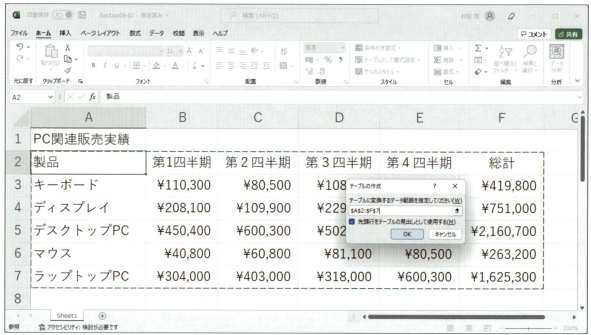

▲ピボットテーブルからピボットグラフを作成すると、視覚的に分析できます

SECTION　キーワード▶テーブルへの変換　　　　　　　　サンプル番号　09sec81

81 表のテーブルへの変換

データを手軽に集計できる形にするにはテーブルに変換するのが近道です。難しい話ではありません。表のセル範囲を選択して、テーブルに変換するだけです。テーブルに変換すると、データの並べ替え、集計などがとても簡単になります。

セル範囲をテーブルに変換する

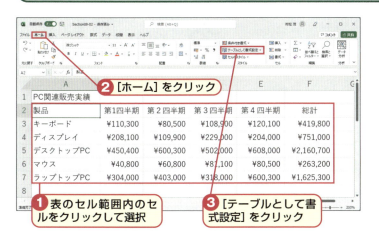

 手順1 テーブルにするセル範囲を選択する

表にするセル範囲内のセルをクリックして選択して、[ホーム] をクリックし、[テーブルとして書式設定] をクリックします。

メモ 表タイトルがある場合は最初にセル範囲を選択

表タイトルがなかったり、1行空きを作っていたりすれば、表のセル範囲内のセルを選択するだけで、テーブルにする表の範囲を正しく認識できます。しかし表タイトルがあると、表の一部として認識してしまいます。そこで最初にテーブルにするセル範囲を選択すれば、後で再選択する必要がなくなります。

 手順2 テーブルとして書式設定する

テーブルスタイルをクリックして選択します。

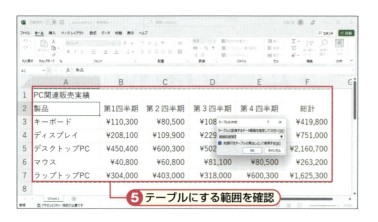

 テーブルにする範囲の確認する

自動的に選択されたテーブルにするセル範囲を確認します。

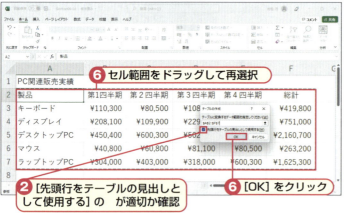

 必要に応じてテーブルにする範囲を再選択する

必要に応じてテーブルにするセル範囲をドラッグして再選択します。次に[先頭行をテーブルの見出しとして使用する]のが適切か確認して、[OK]をクリックします。

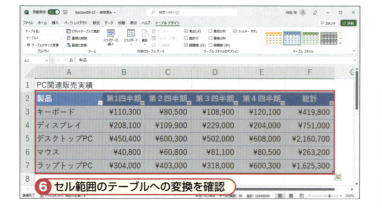

 セル範囲がテーブルに変換された

選択したセル範囲がテーブルに変換されました。

SECTION　キーワード ▶ テーブルデータ編集　　サンプル番号　09sec82

82 テーブルのデータ並べ替え・抽出

テーブルには＋自動的にフィルターが表示されます。このフィルターを使用すると、簡単にデータの並べ替えができます。昇順・降順に並べ替えてみます。または数値フィルターで指定の値と等しい・等しくない、指定の値より大きい・小さいなどが抽出できます。

データを並べ替える

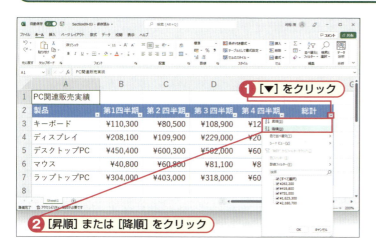

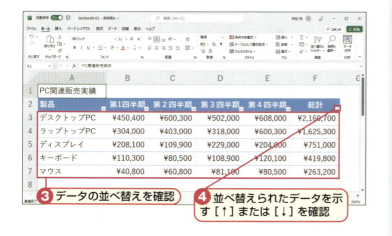

手順1　データを並べ替える

対象にする列見出しのセル内右下の[▼]（フィルター）をクリックして、[昇順]また[降順]をクリックします。

完成　データが並べ替えられた

データが並べ替えられました。また[▼]に並べ替えられたデータを示す[↑]または[↓]が表示されます。

裏技　並べ替え方法は履歴に残る

[▼]で並べ替えを実行すると、自動的に[並べ替え]コマンドの並べ替え方法に追加されます。

データを抽出する

 手順1 データを抽出する

対象にする列見出しのセル内右下の[▼]をクリックして、[数値フィルター]をクリックし、抽出方法(ここでは[指定の値より大きい])をクリックします。

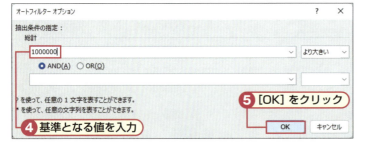

 手順2 基準となる値を指定する

基準となる値を入力して、[OK]をクリックします。なお[トップテン][平均より上][平均より下]は値を指定する必要がないので、[オートフィルターオプション]は開きません。

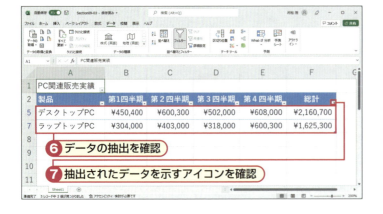

 完成 データが抽出された

指定に基づいてデータが抽出されました。また[▼]には抽出されたデータを示す[　]が表示されます。

SECTION キーワード▶テーブルの表示方法　　サンプル番号　09sec83

83 テーブルの表示方法の変更

テーブルとして書式設定すると、必然的にテーブルスタイルを適用しています。後からテーブルスタイルを変更するにはあらためて [テーブルとして書式設定] を選択する方法もあります。しかし細かく設定するなら [テーブルデザイン] タブを開きます。

テーブルスタイルを見直す

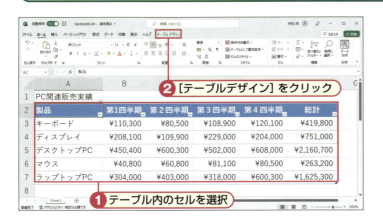

❷ [テーブルデザイン] をクリック
❶ テーブル内のセルを選択

手順1 [テーブルデザイン] を開く

テーブル内のセルをクリックして選択して、[テーブルデザイン] をクリックし、テーブルデザイン欄の [∨]（その他）をクリックします。

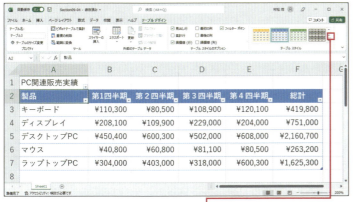

❸ [∨]（その他）をクリック

手順2 テーブルスタイルを一覧する

テーブルスタイル欄右下の [∨]（その他）をクリックします。

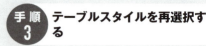
手順 3 テーブルスタイルを再選択する

テーブルスタイルをクリックして再選択します。

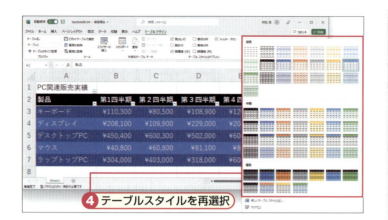

完成 テーブルスタイルが変更された

テーブルスタイルの変更を確認します。

 便利技 テーブルスタイルのカスタマイズ

テーブルスタイルに思い通りのデザインがなかったら、最初に縞模様の変更を検討しましょう。用意されたテーブルスタイルには縞模様（行）しか設定がありません。縞模様（列）を使ったり、縞模様（行）と縞模様（列）を同時に使ったりすると、テーブルスタイルの印象が違ってきます。

▼縞模様を縦から横に変更すると印象が変わります。

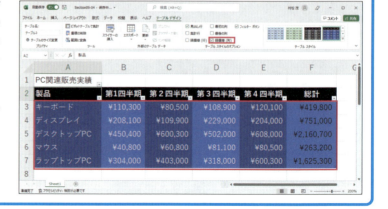

SECTION　キーワード▶テーブルのデータの集計　　　サンプル番号　09sec84

84 テーブルのデータの集計

テーブルには集計行を追加できます。この集計行は①平均、②データの個数、③数値の個数、④最大、⑤最小、⑥合計、⑦標本標準偏差、⑧標本分散、⑨その他の関数──という項目が用意され、自動的に関数計算ができる仕組みが用意されています。

テーブルに集計行を追加する

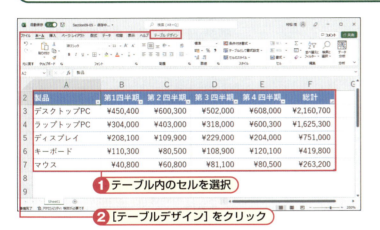

手順1　[テーブルデザイン]を開く

テーブル内のセルをクリックして選択して、[テーブルデザイン]をクリックします。

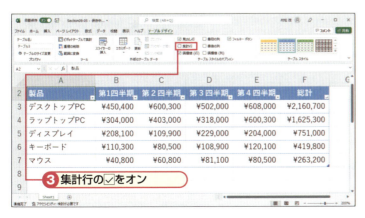

手順2　集計行を有効にする

集計行の☑をオンにします。

手順3 集計行が追加された

テーブルの下端に集計行が追加されました。追加された集計行は右端列（列の合計を表示）以外空白のままです。

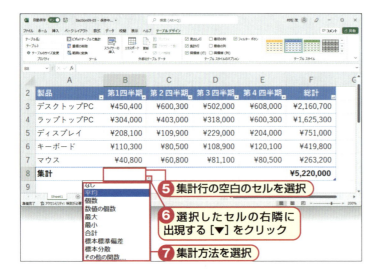

手順4 空白の集計行を確認する

集計行の空白のセルをクリックして選択すると右隣に出現する［▼］をクリックして、集計方法を選択します。

メモ 集計行は［ホーム］タブの［Σ］＋α

集計行の選択は［ホーム］タブの［Σ］コマンドに用意された［合計］［平均］［数値の個数］[最大値］［最小値］に［標本標準偏差］［標本分散］を加えたものです。

◀縞模様を縦から横に変更すると印象が変わります。

手順5 空白の集計行を確認する

選択した集計方法の値が表示されました。選択した集計方法の値（ここでは［平均］）が表示されました

SECTION　キーワード▶ピボットテーブル　サンプル番号　09sec85

85 ピボットテーブルの作成

ピボットテーブルとは表の複数の項目を切り出して新たな表を作成するツールです。複数の項目に着目する集計は一般的にクロス集計と呼ばれるもので、ピボットテーブルを使えば、項目を選択するだけでクロス集計を実現できます。

ピボットテーブルを作成する

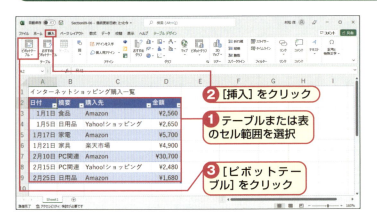

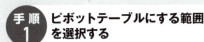

手順1　ピボットテーブルにする範囲を選択する

テーブルまたは表のセル範囲を選択して、[挿入]をクリックし、[ピボットテーブル]をクリックします。

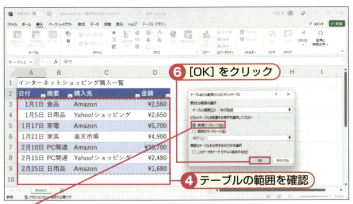

手順2　ピボットテーブルにする範囲を確認し、配置先を選択する

テーブルの範囲を確認して、配置先(ここでは[新規ワークシート])を選択し、[OK]をクリックします。

メモ　配置先は新規ワークシートの一択

配置先として使用中のワークシートを選択できますが、煩雑になるので必ず新規ワークシートに作成することをおすすめします。

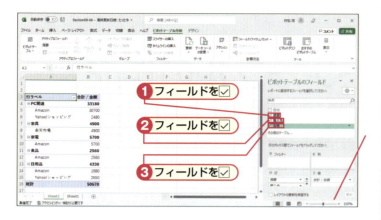

 手順 3 ピボットテーブルのフィールドを選択する

新しいシートにピボットテーブルが空く作成されました。ピボットテーブルのフィールド（ここでは [摘要] [購入先] [金額]）を☑します。

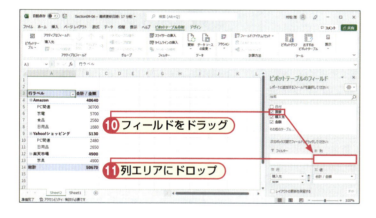

 手順 4 行と列の配置を見直す

フィールド（ここでは [摘要]）をドラッグして、列エリアにドロップします。

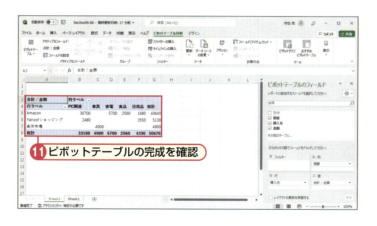

 完成 ピボットテーブルが完成した

ピボットテーブルが完成しました。

SECTION　キーワード▶集計方法の変更　　　サンプル番号　09sec86

86 ピボットテーブルの集計方法の変更

ピボットテーブルに慣れないうちは、項目の選択や行フィールドと列フィールドの配置に迷います。しかし簡単に選択フィールドを変更したり、行フィールドと列フィールドを見直したりできるのがピボットテーブルの大きな利点です。

フィールドを追加する

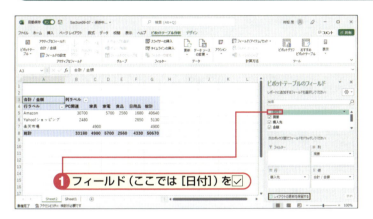

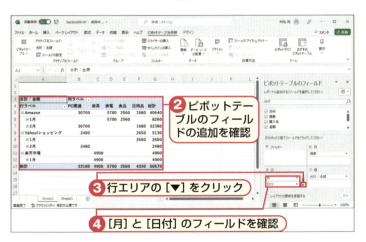

手順1　フィールドを追加する

フィールド（ここでは[日付]）を☑します。

完成　フィールドが追加された

新しいフィールドが追加されました。

メモ　日付フィールドの特徴

日付フィールドをチェックすると、自動的に[日付]に加えて[月]がフィールドとして追加されます。またピボットテーブル内の[月]の[+]をクリックすると、展開して日付が表示されます。

フィールドの入れ替え

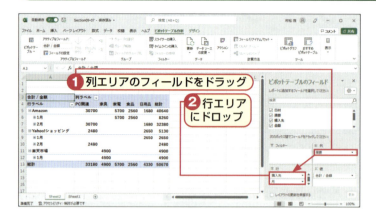

 手順1 フィールドのエリアを移動する

列エリアのフィールド（ここでは[摘要]）をドラッグして、行エリアにドロップします。

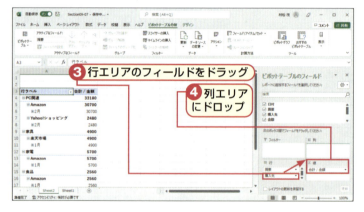

 手順2 フィールドのエリアを移動する

行エリアのフィールド（ここでは[購入先]）をドラッグして、列エリアにドロップします。

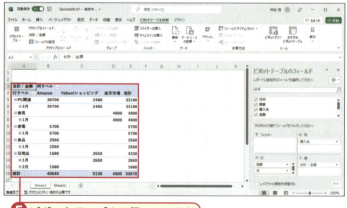

完成 ピボットテーブルの行/列が入れ替わった

ピボットテーブルが行フィールドと列フィールドが【手順1】と入れ替わりました。

SECTION キーワード▶集計期間の指定　　サンプル番号　09sec87

87 ピボットテーブルの集計期間の指定

ピボットテーブルに日付をフィールドとして追加する方法もありますが、ピボットテーブルが大きくなり複雑になります。簡素な表示にするには別途タイムラインを追加する方法があります。タイムラインで期間を選択すると、瞬時に集計結果が表示できます。

タイムラインを追加するには

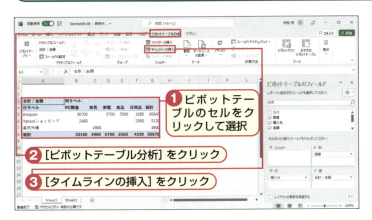

1 ピボットテーブルのセルをクリックして選択
2 [ピボットテーブル分析] をクリック
3 [タイムラインの挿入] をクリック

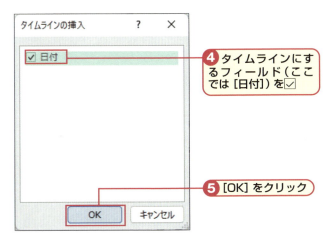

4 タイムラインにするフィールド（ここでは [日付]）を☑
5 [OK] をクリック

手順1 タイムラインを追加する

ピボットテーブルのセルをクリックして選択して、[ピボットテーブル分析] をクリックし、[タイムラインの挿入] をクリックします。

手順2 タイムラインにするフィールドを選択する

タイムラインに設定するフィールド（ここでは [日付]）を☑し、[OK] をクリックします。

便利技 タイムラインにもスタイルを適用できる

[タイムライン] をクリックして選択すると表示される [タイムライン] タブを開くと、タイムラインのスタイルを選択できます。

手順3 タイムラインが挿入された

タイムラインが挿入されまた。初期状態ではすべての期間が選択されています。

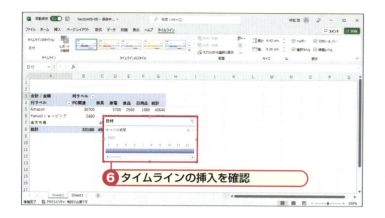

❻ タイムラインの挿入を確認

手順4 タイムラインの期間を指定する

タイムラインのバーをドラッグして期間（ここでは[2022年1月]）を設定します。瞬時にピボットテーブルの集計が変化します。

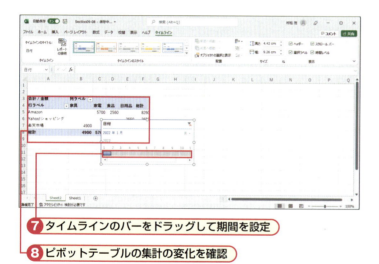

❼ タイムラインのバーをドラッグして期間を設定

❽ ピボットテーブルの集計の変化を確認

SECTION　キーワード▶ピボットグラフ　サンプル番号　09sec88

88 ピボットグラフの作成

ピボットテーブルはそのまま種類を選ぶだけでピボットグラフが作成できます。ピボットテーブルとリンクしているので、ピボットテーブルのフィールドを追加したり、フィールドの位置を変更したりすると、ピボットグラフに反映されます。

ピボットグラフを作成する

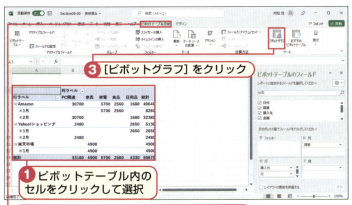

 手順1 [グラフの挿入]を開く

ピボットテーブル内のセルをクリックして選択して、[ピボットテーブル分析]をクリックし、[ピボットグラフ]をクリックします。

 手順2 グラフの種類を選択する

最初に左側でグラフの種類をクリックして選択し、上側でグラフの詳細な種類をクリックして選択します。

285

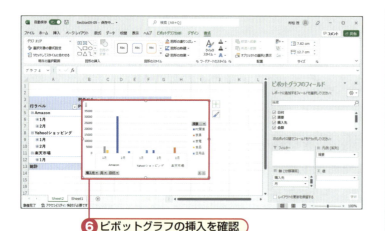

❻ ピボットグラフの挿入を確認

シートにピボットグラフが挿入されました

 ピボットテーブルは意外と簡単な機能

ピボットテーブルとは、リスト形式のデータをユーザーが決めた形式で分類・集計する機能ことです。色んなデータベースを統合し、集計や分析を行って、さまざまな形に変えられので、マーケティングや事業計画、売り上げ予測など多岐わたって重宝されている機能です。例えば、膨大な量のデータベースからから、「エリア別の売上」「価格帯ごとの売上」といった情報を簡単に抽出して、一目でわかるようにグラフなどに変換して表示してくれます。

しかし、「ピボットテーブルは、難しそうで避けてきた」という人も多いのではないでしょうか。エクセルが使えるというレベルの人でも、このピボットテーブルを活用する場がなければ、積極的に学ぼうとは思わないのは当然です。しかし、一度使い始めてみると、いままで一日かけて複雑な計算式や関数を駆使して作成した売り上げ予測データが、たったの5分で終わってしまうのですから、これは前向きにトライしてみる価値は十分にあると思います。

ピボットテーブルを使う上で注意するポイントは、項目名の入れ方・数値の単位統一・空白のセルを作らないなど、これまでのエクセルの知識で十分対応が可能なのです。あとは集計方法を選択して、参照データを決めてしまえば、基本的な流れはつかめると思います。

食わず嫌いのピボットテーブルだったのが、基礎を学んでいくことで、逆に面白くなってきます。まずは、簡単なデータベースから始めてみることが、知識習得の近道です。

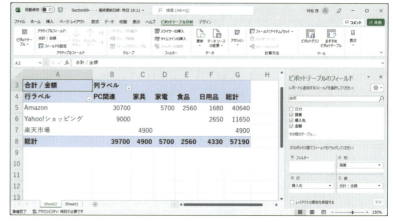

10章

Excelブックとワークシートを使いこなす方法

Excelブックとワークシートの関係はよく混乱を招きます。簡単にいえば、ExcelブックはExcelで保存する標準ファイル形式です。そしてワークートートはExcelブックに格納される作業領域です。一つのExcelブックには複数のワークシートを格納できます。Excelブックとワークシートの関係をよく理解して、Excelでの作業をスムースにできるように学習しましょう。

SECTION キーワード▶ブック／シート

89 ブックとシートの基本

Excelの作業内容はExcelブック（.xlsx）というファイル形式で保存します。ブックには複数のワークシートを格納できます。つまりブックはファイルそのものであり、ワークシートの容れ物です。作業領域であるワークシートに表やグラフを作成できます。

ブックとワークシートの関係

エクスプローラーでExcelブックを見ると、Excelロゴのアイコンが表示されます。しかしファイルの種類としては「Microsoft Excelワークシート」と表記されます。筆者はひそかにこれが混乱の元ではないかと推察しています。ブックには複数のワークシートを格納できますが、ワークシートはあくまでファイルの中身であって、ファイルそのものではない点を注意してください。

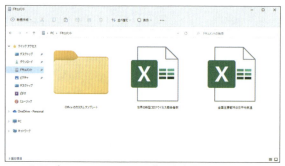
▲エクスプローラーでExcelブックを見るとアイコンにロゴが表示されます

▲エクスプローラーのファイル一覧の表示を［詳細］に変更してファイルの種類を確認すると「Microsoft Excelワークシート」と表記されています

ブックはExcel標準のファイル形式

Excelは様々なファイル形式で保存できますが、標準の保存形式はExcelブック（.xlsx）形式です。CSVなどテキストエディターでも閲覧できるファイル形式でも保存できますが、シートを複数格納できない、グラフを収録できないなど制限があります。Excelの機能を十分に発揮させるにはExcelブック形式での保存が推奨されます。

▲ExcelブックはExcelの標準保存形式となります

ブックは複数のシートを格納できる

Excelブックには単独あるいは複数のシートを格納できます。空白のブックを新規作成すると、あらかじめ「Sheet1」という名称のシートが用意されます。さらにシートを追加していくと「Sheet2」「Sheet3」……とシートが増やせます。

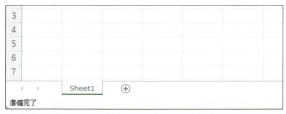

▲空白のブックには「Sheet1」という名称のワークシートが用意されます

▲Excelブックには複数のワークシートを作成できます

かつてはワークシートとグラフシート

ワークシートは単にシートとも呼ばれ、慣れ親しんだExcelの作業領域です。かつてはワークシートに対してグラフ専用のグラフシートと呼ばれるものがありましたが、その名称は使われなくなりました。しかし現在もグラフを新たなシートに移動すると、「グラフx」というシートが作成されるので、名称はなくても機能としては健在です。

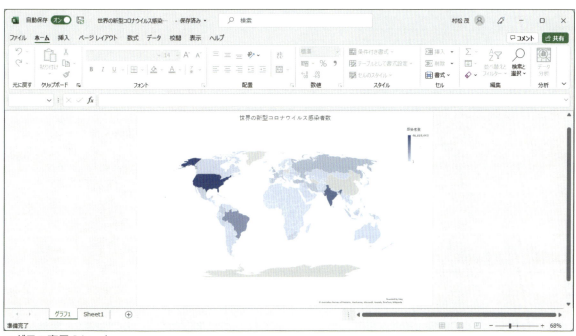

▲グラフ専用のシート

SECTION キーワード▶シート追加・削除　　サンプル番号　10sec90

90 シートの追加と削除

手順解説動画

ワークシートは必要に応じて追加/削除できます。たとえば年間のデータをブックにまとめるのに月別にシートを作成するなどが典型的な使い方です。なおシートを削除については、通常の操作では有効な［元の戻す］は使用できないので、十分注意が必要です。

シートを追加する

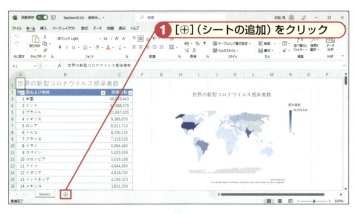

 シートを追加する

シート見出し右の［⊕］（シートの追加）をクリックします。

 シートが追加された

シートが追加されました

シートを削除する

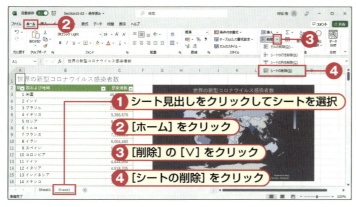

 手順1 **シートを選択する**

シート見出しをクリックしてシートを選択します。[ホーム]をクリックして、[削除]の[∨]をクリックし、[シートの削除]をクリックします。

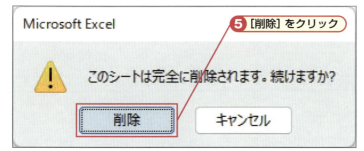

 手順2 **シートを削除する**

[削除]をクリックします。なおシートは完全に削除され、[元に戻す]は使用できません。

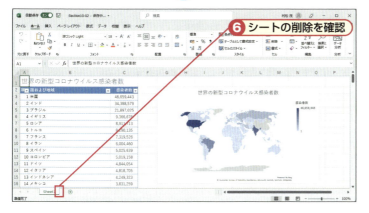

 完成 **シートが削除された**

シートが削除され、残っているシートが表示されました。

SECTION　キーワード▶シート名・見出し色変更　サンプル番号　10sec91

91 シート名や見出しの色の変更

シート名を変更して、さらに見出しの色を変更します。シート数は少ない場合はあまり問題になりませんが、多数になってくるとシート名を整理して、色分けしたほうが目的のシートを見つけやすくなります。

シート名を変更する

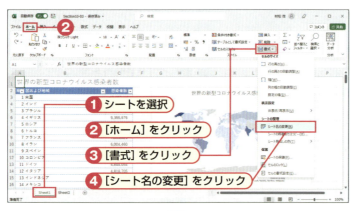

① シートを選択
② [ホーム]をクリック
③ [書式]をクリック
④ [シート名の変更]をクリック

手順1　シート名を変更する

シート見出しをクリックして、シートを選択します。[ホーム]をクリックして、[書式]をクリックし、[シート名の変更]をクリックします。

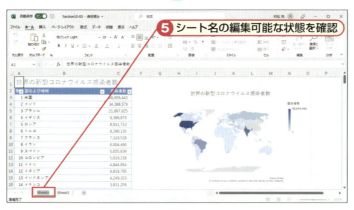

⑤ シート名の編集可能な状態を確認

手順2　シート名が編集可能なる

シート名が編集可能な状態になります。

292

 シート名を入力する

シート名を入力し、[Enter]キーを押します。

シート見出しの色を変更する

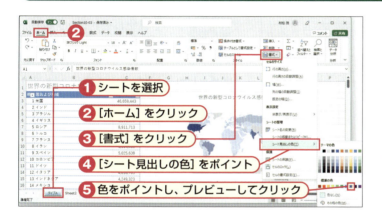

 シートを選択し、見出しの色を変更する

シート見出しをクリックして、シートを選択します。[ホーム]をクリックして、[書式]をクリックし、[シート見出しの色]をポイントします。色をポイントすると適用結果がプレビューされるので、確認してクリックします。

 ショートカットメニューが便利

▲シート見出しを右クリックするとショートカットメニューが表示されます

　シート見出しを右クリックすると、ショートカットメニューが表示され、ここから[名前の変更](=シート名変更)[シート見出しの色]を実行できます。

SECTION　キーワード▶シート移動／コピー　サンプル番号　10sec92

92 シートの移動とコピー

シートは移動とはシート見出しの順番を替えるという意味です。シート見出しをドラッグ＆ドロップして入れ替えるだけで簡単に実行できます。またシートのコピーとは同じ内容のシートを作成することです。

シートを移動する

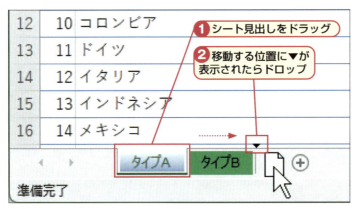

手順1　シート見出しをドラッグ＆ドロップする

シート見出しをドラッグして、移動する位置に▼が表示されたらドロップします。

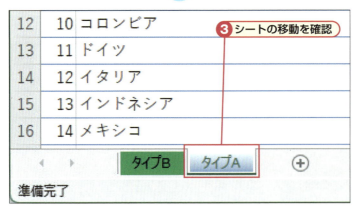

完成　シートの順番が入れ替わった

シートが移動しました。

シートをコピーする

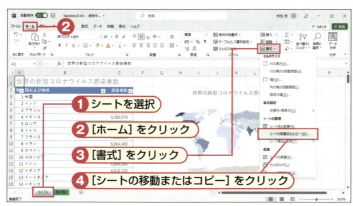

① シートを選択
② [ホーム] をクリック
③ [書式] をクリック
④ [シートの移動またはコピー] をクリック

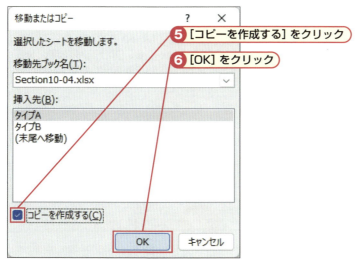

⑤ [コピーを作成する] をクリック
⑥ [OK] をクリック

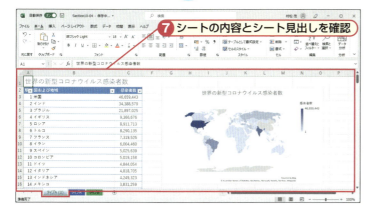

⑦ シートの内容とシート見出しを確認

 手順1 シートを選択する

シート見出しをクリックして選択します。[ホーム] をクリックして、[書式] をクリックし、[シートの移動またはコピー] をクリックします。

 手順2 シートのコピーを作成する

[コピーを作成する] を☑して、[OK] をクリックします。

 完成 シートのコピーが作成された

シートのコピーが作成されました。シートの内容、シート見出しの色も引き継がれ、シート名のみ末尾に (2) が追加されます。

SECTION　キーワード▶シート非表示／再表示　サンプル番号　10sec93

93 シートの非表示と再表示

シートは必要に応じて、非表示にできます。シートの削除と異なるのは、シートが維持されている点です。非表示にしたシートは選択して再表示できます。なおExcel 2021から複数のシートを同時に再表示できるようになりました。

シートを非表示にする

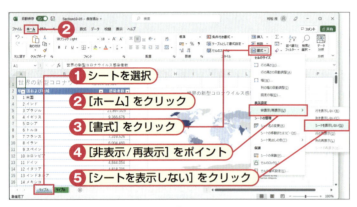

手順1 シートを選択して非表示にする

シート見出しをクリックしてシートを選択します。[ホーム]をクリックして、[書式]をクリックし、[非表示/再表示]をポイントし、[シートを表示しない]をクリックします。

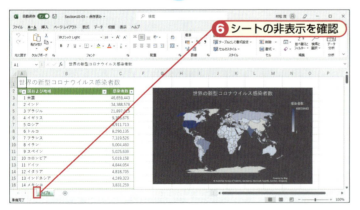

完成 シートが非表示になった

シートが非表示になりました。

非表示のシートを再表示する

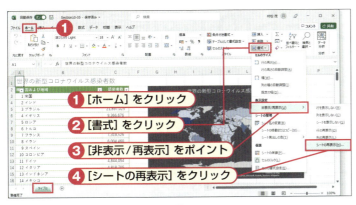

1 [ホーム] をクリック
2 [書式] をクリック
3 [非表示/再表示] をポイント
4 [シートの再表示] をクリック

 手順1 シートの再表示を選択する

[ホーム] をクリックして、[書式] をクリックし、[非表示/再表示] をポイントし、[シートの再表示] をクリックします。

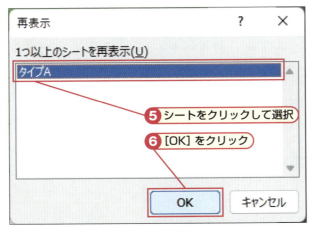

5 シートをクリックして選択
6 [OK] をクリック

 手順2 シートを選択して再表示する

シートをクリックして選択し、[OK] をクリックします。

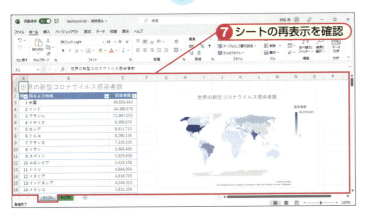

7 シートの再表示を確認

 完成 シートが再表示された

非表示にしていたシートが再表示されました。

SECTION キーワード ▶ 複数シート表示 サンプル番号 10sec94

94 複数のシートの並列表示

複数のシートを横に並べると、内容や外観の違いが分かりやすくなります。そこで新しいウィンドウを開いて、表示を二重化し、シートを並べて表示してみます。ここでは同じブックの二つのワークシートを並べて表示しています。

複数のシートを並べて表示する

 新しいウィンドウを開く

［表示］をクリックし、［新しいウィンドウを開く］をクリックします。

 ウィンドウが二重化された

新しいウィンドウが開いて、ウィンドウが二重化します。

 手順 3 並べて比較を選択する

[表示]をクリックし、[並べて比較]をクリックします。

 手順 4 整列を選択する

[整列]をクリックします。

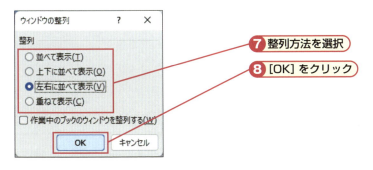

 手順 5 整列方法を選択する

整列方法を選択し、[OK]をクリックします。

 手順 6 別のシートを前面に表示する

別のウィンドウで別のシート見出しをクリックします。

SECTION　キーワード▶シート編集　サンプル番号　10sec95

95 複数のシートを まとめて編集

複数のシートの同じ番地のセルをまとめて編集できます。編集できるのはセルの値または数式とその書式です。通常は編集しているシートのみでしか編集結果を確認できないので、ここではウィンドウを二重化して動作を検証します。

複数のシートの同じ番地のセルをまとめて編集する

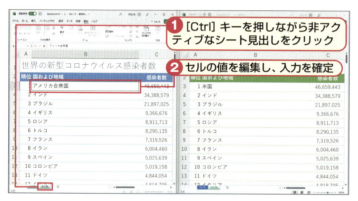

 非アクティブなシートの見出しを選択してからセルを編集する

ウィンドウを二重化して表示しています。左ウィンドウのみを編集して、右ウィンドウの別シートの動作を確認します。[Ctrl]キーを押しながら非アクティブのシート(右ウィンドウに表示)見出しをクリックして選択します。セルの値を編集し、入力を確定します。

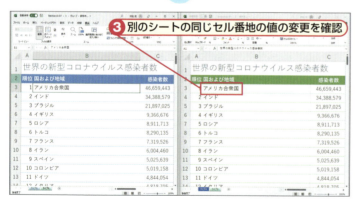

 非アクティブなシートに反映された

アクティブなシートの編集結果が、非アクティブなシートの同じセル番地に反映されました。

SECTION キーワード▶ブック切り替え　　サンプル番号　10sec96

96 複数のブックの切り替え

開いている複数のブックを簡単に切り替えて編集できます。[表示]の[ウィンドウの切り替え]を利用しても可能ですが、ここはキーボードショートカットのほうがはるかに効率的です。

ブックのアクティブウィンドウを切り替える

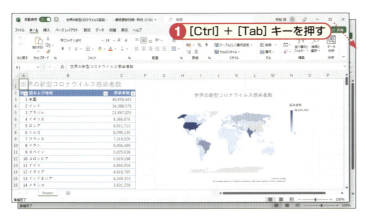

手順1　アクティブウィンドウを切り替える

複数のブックのウィンドウを開いています。[Ctrl]+[Tab]キーを押します。

完成　アクティブウィンドウが切り替わった

アクティブなウィンドウが切り替わりました。

SECTION キーワード ▶ ブック並列表示　　サンプル番号　10sec97

97 複数のブックの並列表示

一つのブックで別のシートを表示する方法をセクション10-06で示しましたが、複数のブックを並べて表示する方法も全く同じです。むしろ異なるブックの方が判別しやすいかもしれません。

複数のブックを並べて表示する

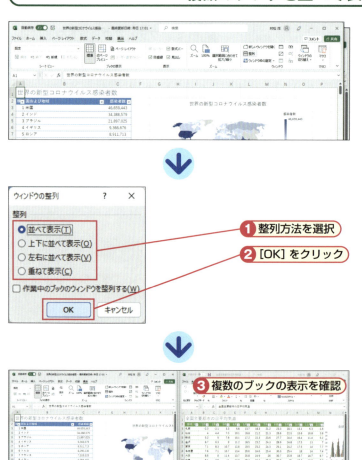

手順1 表示を分割する

複数のブックを同時に開いている状態で、[表示] をクリックし、[分割] をクリックします。

手順2 整列方法を選択する

整列方法を選択し、[OK] をクリックします。

完成 複数のブックが並んで表示された

複数のブックが並んで表示されました。をクリックします。

SECTION　キーワード▶パスワード　サンプル番号　10sec98

98 ブックのパスワード保護

ブックはパスワード保護して保存できます。パスワード保護されたブックは開くときにパスワードが必要になります。またパスワード保護されたブックは自動的に自動保存が無効になります。

ブックをパスワード保護する

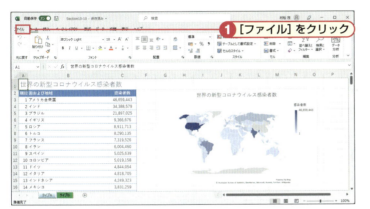

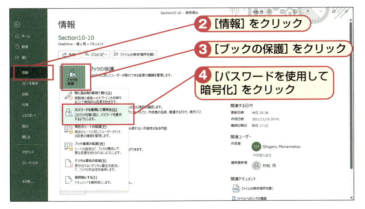

手順1 Backstageを開く

[ファイル] をクリックします。

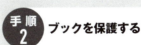

手順2 ブックを保護する

[情報] をクリックして、[ブックの保護] をクリックし、[パスワードを使用して暗号化] をクリックします。

303

手順 3 パスワードを入力する

[ドキュメントの暗号化] ダイアログボックスでパスワードを入力して、[OK] をクリックします。

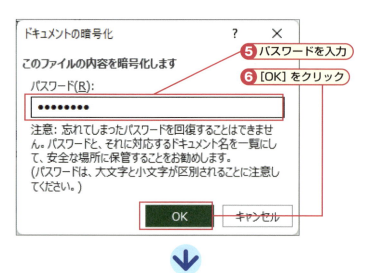

手順 4 パスワードの確認を入力する

パスワードを再入力して、[OK] をクリックします。

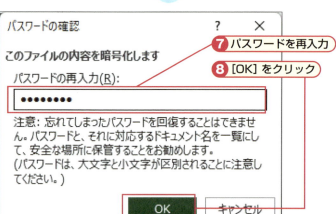

完成 ブックが保護された

ブックが保護されました。[×]（閉じる）をクリックします。

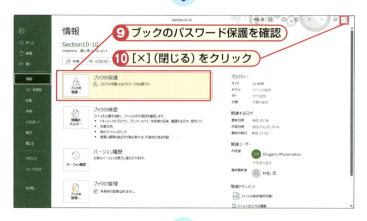

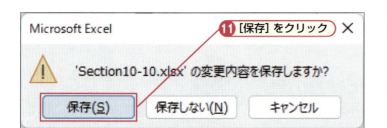
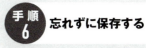

手順 6 忘れずに保存する

[保存] をクリックします。保存して初めてパスワード保護が有効になります。

パスワード保護されたブックを開く

手順 1 ブックを開く

パスワード保護されたブックをクリックします。

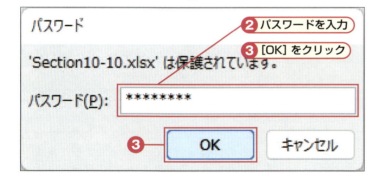

完成 パスワードが求められた

ブックを開くときにパスワードを入力して、[OK] をクリックします。ブックが開きます。

パスワード保護を解除する

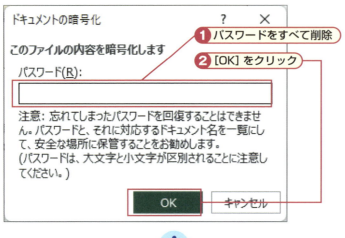

 手順1 パスワードを解除する

パスワード保護の設定を同じ要領で、[ドキュメントの暗号化] ダイアログボックスを開きパスワードをすべて削除して、[OK] をクリックします。

 完成 パスワードが解除された

ブックの保護が解除されました。

 メモ パスワード保護すると自動保存は無効に

ファイルの保存場所をOneDriveにすると通常は自動保存が有効にできますが、パスワード保護したブックは自動保存の対象外になります。

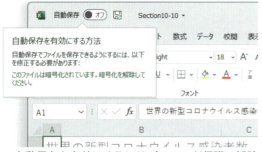

▲自動保存を有効にするにはパスワード保護の解除が必要になります

11章

表やグラフを印刷する

Excel 2021のワークシートの最大サイズは16,384（2の14乗）列、1,048,567（2の20乗）行です。普通の感覚では無限に等しい数字です。しかし作成したドキュメントを他の人に見せるのであれば、出力結果を考えなければなりません。印刷するにしても、PDFに出力するにしてもページという概念からは逃れられません。本章では出力を考えたレイアウトと出力方法について考察します。

SECTION

キーワード▶印刷／事前設定

99 印刷前にやっておくべき設定の基本

Excel 2021のワークシートの最大サイズは16,384（2の14乗）列、1,048,567（2の20乗）行です。普通の感覚では無限に等しい数字です。しかし作成したドキュメントを他の人に見せるのであれば、出力結果を考えなければなりません。

出力の考え方

Excelでは、たとえシートの行と列の限界まで大きな表を作成できます。しかし出力を考えると、全くドキュメントの方向性は異なります。数ページわたる表を1ページに収めて印刷する方法もありますが、単に縮小するだけでは大相撲の番付の下部のように豆粒のような文字になってしまうからです。最初に印刷プレビューを見て、現在の状況を把握し、改ページプレビューで構成要素を検討し、最終的にはページレイアウトビューで最終出力の原稿を仕上げます。

印刷プレビューを表示する

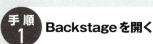 **Backstage を開く**

［ファイル］をクリックします。印刷プレビューを開きます。

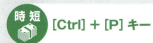 **[Ctrl] + [P] キー**

印刷画面を開く

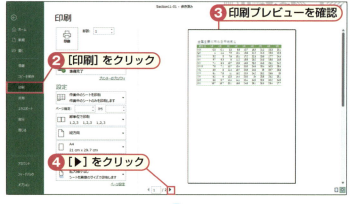

 **印刷プレビューを表示する**

［印刷］をクリックします。1ページ目の印刷プレビューを確認します。（次ページがある場合は）［▶］をクリックします。

手順3 2ページ目の印刷プレビューを表示する

2ページ目の印刷プレビューを確認します。

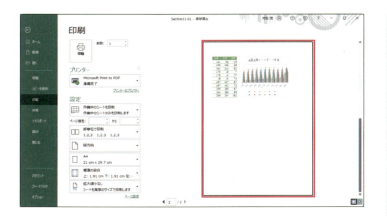

改ページプレビューを表示する

手順1 改ページプレビューを表示する

[改ページプレビュー] をクリックします。改ページプレビューでは用紙ごとに印刷される範囲を確認します。

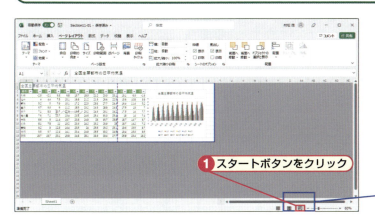

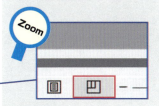

ページレイアウトビューを表示する

手順1 ページレイアウトビューを表示する

[ページレイアウト] をクリックします。ページレイアウトビューではヘッダー、フッターを配置可能な位置が把握できるので、改ページプレビューより詳細なレイアウトを把握できます。

出力イメージを把握する

原則的に印刷プレビュー、改ページプレビュー、ページレイアウトビューの順で出力イメージを考えますが、必ずしもすべての手順を踏む必要はありません。簡単な印刷であれば、印刷プレビューだけを見て、すぐに印刷あるいはPDF出力でもいいでしょう。

SECTION

100 印刷の向きと用紙のサイズ

キーワード ▶ 印刷の方向／用紙サイズ

手順解説動画

印刷の向きはレイアウトを決めるのに重要な要素です。横長画面で編集して縦長で出力するケースが多いので、作業に都合のいいレイアウトと出力に適したレイアウトは必ずしも一致しません。用紙サイズも適切なフォントサイズの確保には重要な要素です。

印刷の向きを変更する

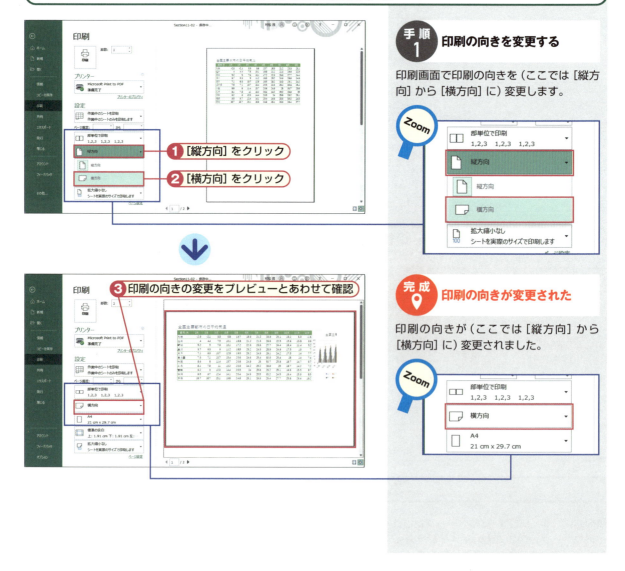

手順1 印刷の向きを変更する

印刷画面で印刷の向きを（ここでは［縦方向］から［横方向］に）変更します。

1 ［縦方向］をクリック
2 ［横方向］をクリック

3 印刷の向きの変更をプレビューとあわせて確認

完成 印刷の向きが変更された

印刷の向きが（ここでは［縦方向］から［横方向］に）変更されました。

用紙サイズを変更する

手順1 用紙サイズを変更する

印刷画面で用紙サイズを（ここでは[A4]から[A3]に）クリックして変更します。

完成 用紙サイズが変更された

用紙サイズが（ここでは[A4]から[A3]に）変更されました。

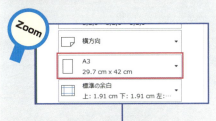

家庭ではA4、職場ではA3が最大用紙サイズ

国内の家庭向けのプリンターの最大用紙サイズはほぼA4です。設計・デザインなどの仕事をしているユーザーはこれに当てはまらないかもしれません。一方、職場のプリンターの最大用紙サイズはA3が主流です。国内ではこの中間にあたるB4用紙もよく使用されます。A判とB判はどちらも縦横比は1:√2で全く同じですが、A判は国際規格、B判は国内独自の規格となります。

SECTION

101 余白の調整

キーワード ▶ 余白設定

Excelの既定では余白は［標準］［広い］［狭い］の3種類みです。Wordには［やや狭い］という使い勝手のいいオプションがありますが、Excelには用意されません。［標準］では収まらないケースが多いので、［狭い］を選択するかユーザー設定で調整します。

余白を変更する

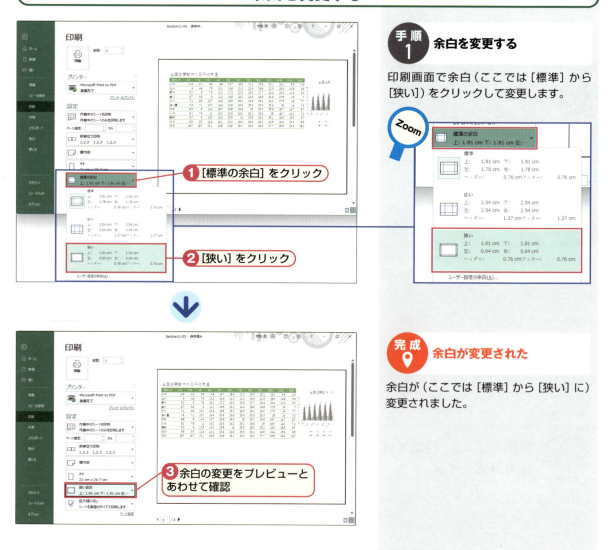

手順1　余白を変更する

印刷画面で余白（ここでは［標準］から［狭い］）をクリックして変更します。

完成　余白が変更された

余白が（ここでは［標準］から［狭い］に）変更されました。

① ［標準の余白］をクリック
② ［狭い］をクリック
③ 余白の変更をプレビューとあわせて確認

余白をユーザー設定する

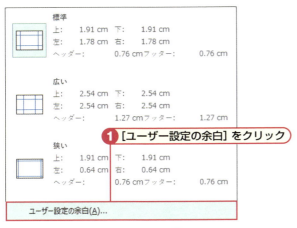

1 [ユーザー設定の余白] をクリック

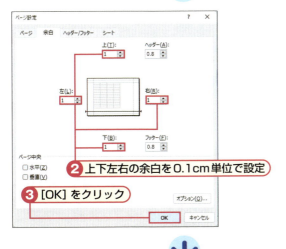

2 上下左右の余白を0.1cm単位で設定
3 [OK] をクリック

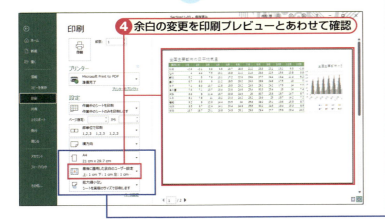

4 余白の変更を印刷プレビューとあわせて確認

手順1 ユーザー設定の余白を選択する

余白の選択で [ユーザー設定の余白] をクリックします。

手順2 上下左右個別に余白を入力する

上下左右の余白をそれぞれ0.1cm単位で設定します。なおヘッダーとフッターは余白部分に含まれます。設定したら [OK] をクリックして、印刷プレビューを確認し、必要に応じてさらに調整します。

完成 余白が変更された

余白が（ここでは上下左右1cmに）変更されました。

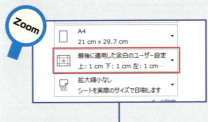

SECTION

102 ヘッダーとフッターの設定

キーワード▶ヘッダー／フッター

Excelの出力ではヘッダーとフッターを設定できます。どちらも選択あるいは入力して設定します。選択肢としてはファイル名、シート名、ページ番号、ページ番号／ページ数などが用意されますが、あらためて別の項目を入力してもかまいません。

ヘッダー/フッターを設定する

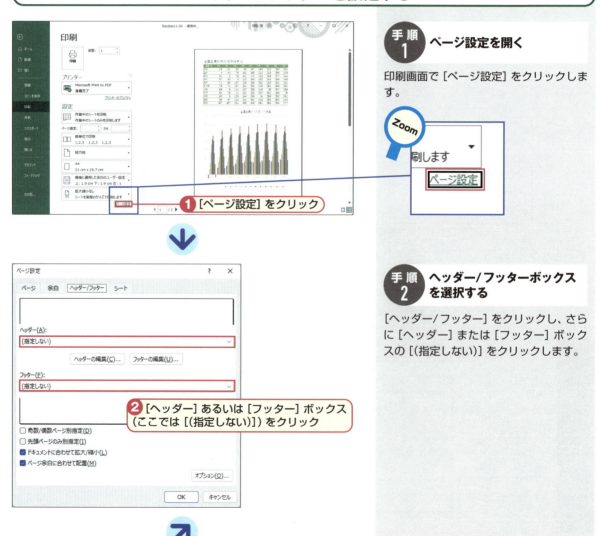

手順1 ページ設定を開く

印刷画面で[ページ設定]をクリックします。

手順2 ヘッダー/フッターボックスを選択する

[ヘッダー/フッター]をクリックし、さらに[ヘッダー]または[フッター]ボックスの[(指定しない)]をクリックします。

手順 3 ヘッダー/フッターの項目を開く

ヘッダーあるいはフッターの項目をクリックして選択します。

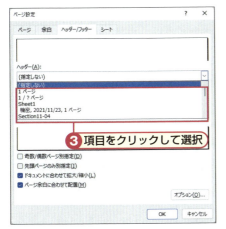

手順 4 ヘッダー/フッターの項目を選択する

ヘッダー/フッターの項目を選択したら[OK]をクリックします。

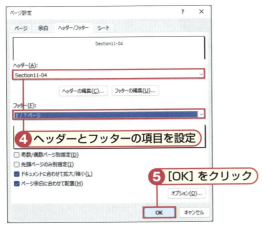

完成 ヘッダー/フッターが表示された

印刷プレビューにヘッダー/フッターが表示されました。

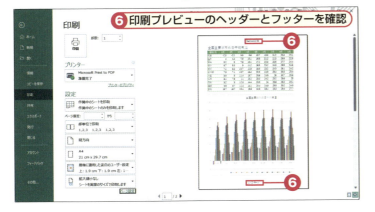

SECTION　キーワード▶改ページ　　　サンプル番号　11sec103

103 改ページ位置の調整

複数ページの印刷では改ページ位置を指定したほうが、きれいに収まります。改ページ位置は改ページプレビューで確認できるので、行または列をドラッグ＆ドロップして変更します。なおこの操作は改ページ位置優先なので自動的に拡大/縮小されます。

改ページ位置を変更する

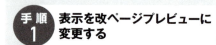
手順1 表示を改ページプレビューに変更する

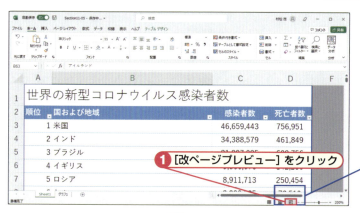

［改ページプレビュー］をクリックします。

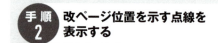
手順2 改ページ位置を示す点線を表示する

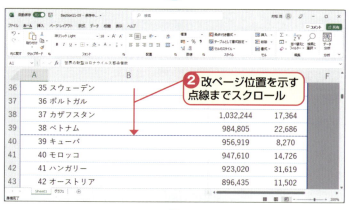

改ページ位置を示す点線が表示されるまでスクロールダウンします。

316

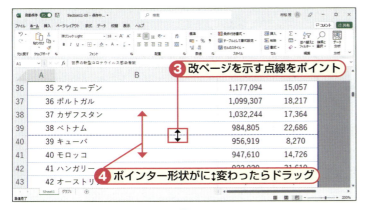

手順 3 改ページ位置を示す点線をドラッグする

改ページを示す点線をポイントして、ポインター形状がに⇕変わったらドラッグします。

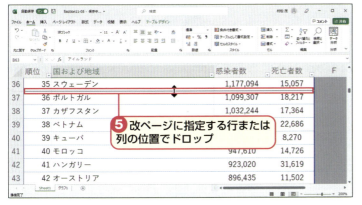

手順 4 改ページを指定する行または列でドロップする

改ページを指定する行または列の位置でドロップします。

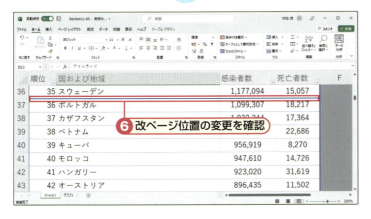

完成 改ページ位置が変更された

改ページ位置が変更されました。なお改ページ位置を指定すると、改ページ位置を示す線が点線から実線に変わります。

SECTION キーワード▶**タイトル行印刷** サンプル番号 11sec104

104 表のタイトル行/列を全ページに印刷

表が複数ページになると、2ページ目以降に表のタイトル行/列を出力できません。そこで表のタイトル行/列を全ページに印刷するように設定します。これは印刷タイトルを設定することで実現できます。

タイトル行/列を設定する

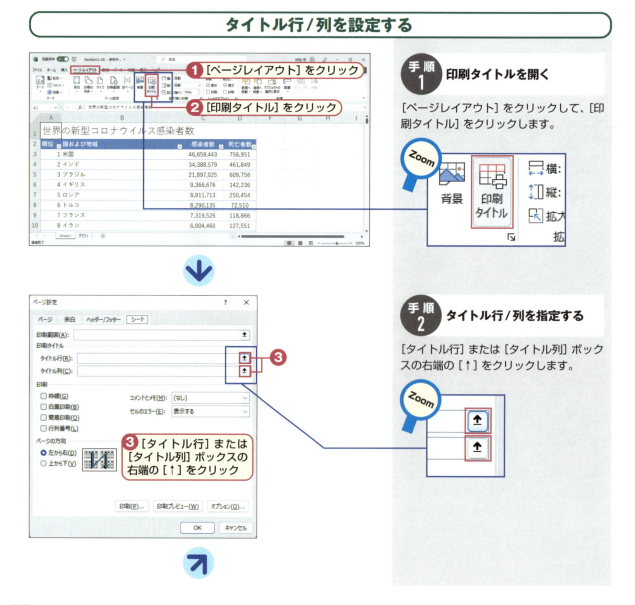

手順 3 行または列を指定する

行または列をクリックして選択し、ダイアログボックスの [↓] をクリック

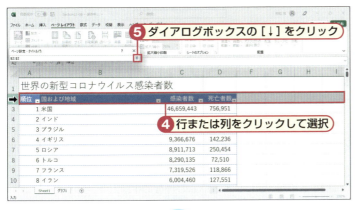

手順 4 タイトル行/列の入力を確認する

タイトル行またはタイトル列の入力を確認して、[OK] をクリックします。

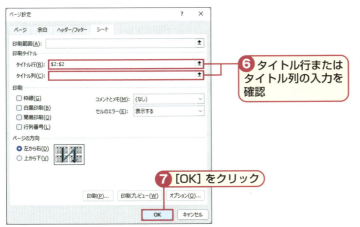

手順 5 印刷プレビューでタイトル行/列の表示を確認する

印刷プレビューで2ページ目以降のタイトル行/列を確認します。

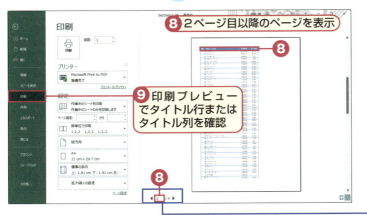

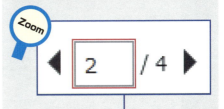

SECTION　キーワード▶印刷設定

105 シートを1ページに印刷

手順解説動画

拡大／縮小して1ページに収まるように印刷する方法です。とても便利な機能ですが、レイアウトを全く考慮しないで、この機能を使用すると、とんでもない印刷結果になることがあります。手っ取り早く印刷する手段、逆にレイアウトの最後の手段と考えてください。

シートを1ページに印刷する

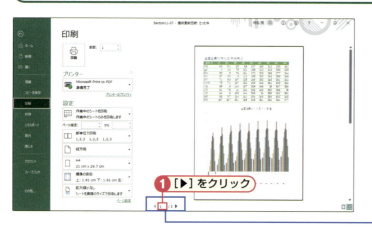

① [▶] をクリック

③ [拡大/縮小]（ここでは [拡大/縮小なし]）をクリック

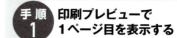
手順1 印刷プレビューで1ページ目を表示する

印刷画面の印刷プレビューで1ページに収まらない状態を確認します。[▶] をクリックして次ページを開きます。

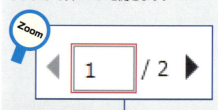

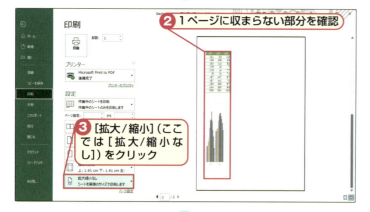

② 1ページに収まらない部分を確認

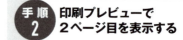
手順2 印刷プレビューで2ページ目を表示する

1ページ収まらない部分を確認します。[拡大/縮小]（ここでは [拡大/縮小なし]）をクリックします。

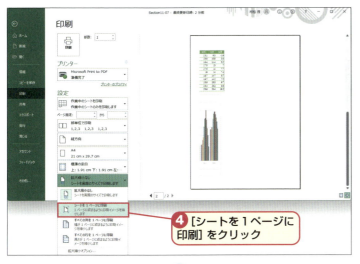

 [シートを1ページに印刷] をクリック

 手順 3 シートを1ページに印刷を選択する

[シートを1ページに印刷] をクリックします。

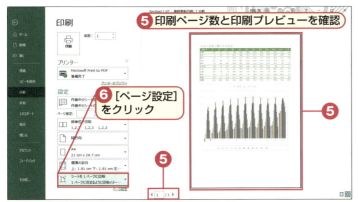

 [ページ設定] をクリック

手順 4 印刷プレビューで確認する

印刷ページ数と印刷プレビューでシートが1ペーに収まっている状態を確認します。拡大/縮小の比率を確認するため、[設定] をクリックします。

拡大/縮小欄で比率（ここでは82%）を確認

 手順 5 印刷の拡大/縮小の比率を確認する

拡大/縮小の比率を確認します。比率が70％以下になると、文字が読みにくくなる可能性があります。

SECTION キーワード▶印刷範囲

106 印刷範囲の設定

印刷範囲を設定すると、必要な部分だけに絞り込んで印刷できます。表の一部を切り取ったり、グラフを省略したり、使い方は自由自在です。また簡単に印刷範囲の設定を解除できるので、1枚のシートから複数の出力が簡単にできます。

印刷範囲を設定する

手順1　印刷範囲の設定を開く

セル範囲を選択します。[ページレイアウト]をクリックして、[印刷範囲]をクリックし、[印刷範囲の設定]をクリックします。

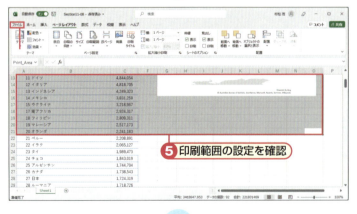

完成　印刷範囲が設定された

印刷範囲が設定されました。[ファイル]をクリックします。

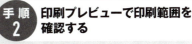

印刷プレビューで印刷範囲を確認する

［印刷］をクリックします。印刷プレビューに印刷範囲の設定が反映されました。

印刷範囲の設定をクリアする

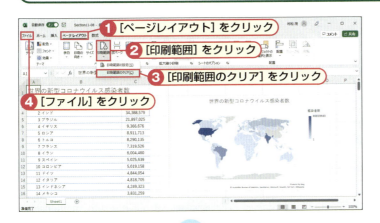

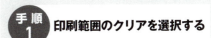

印刷範囲のクリアを選択する

［ページレイアウト］をクリックして、［印刷範囲のクリア］をクリックます。［ファイル］をクリックします。

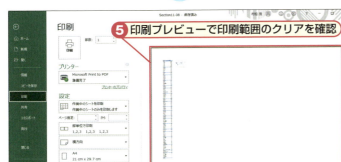

印刷プレビューで印刷範囲のクリアを確認する

印刷プレビューで印刷範囲のクリアが反映されました。

SECTION

キーワード ▶ グラフ印刷

107 グラフの印刷

グラフの印刷はグラフを選択した状態で、印刷するだけでOKです。あらためて印刷範囲を設定したり、グラフ専用のシートを作成したりする必要はありません。また拡大/縮小の設定も必要ありません。なお余白を狭くすれば、多少拡大して印刷できます。

グラフのみ印刷する

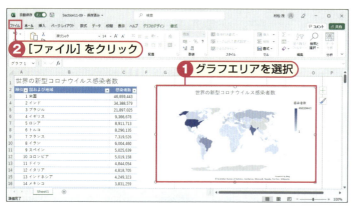

 グラフエリアを選択する

グラフエリアをクリックして選択します。[ファイル]をクリックします。

 印刷プレビューで確認する

[印刷]をクリックします。印刷対象が自動的に[選択したグラフを印刷]に設定されます。印刷プレビューには1ページに最適化されて表示されます。

12章

自分が使いやすいように カスタマイズ

Excelのクイックアクセスバーとリボンをカスタマイズすると、自分の使い方に寄り添ったユーザーインターフェースになります。Excel 2021では既定でクイックアクセスバーが非表示になりました。しかしこれを表示することは可能です。従来のクイックアクセスバーのコマンドは［ホーム］など別の個所に表示されるので、差支えはありませんが、従来の使い勝手を優先させるならカスタマイズします。

SECTION キーワード▶ クイックアクセスツールバー

108 クイックアクセスツールバーをカスタマイズ

手順解説動画

Excel 2021では既定でクイックアクセスツールバーが非表示になりました。ユーザーによっては全く使用しない可能性もありますが、従来通り表示する手順を示します。なおクイックアクセスツールバーの配置はタイトルバーの左側からリボンの下に変更になりました。

クイックアクセスツールバーを表示する

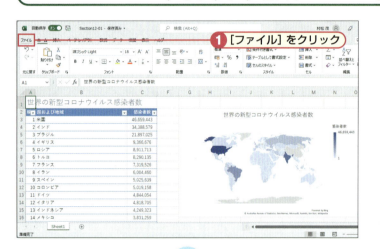

Backstageを開く

[ファイル] をクリックします。

[オプション] は [その他…] の中に隠れる場合も

ウィンドウサイズによっては [オプション] は [その他…] の中に隠れる場合があります。Backstageに見当たらなかったら、[その他…] をクリックします。

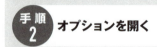
オプションを開く

[オプション] をクリックします。

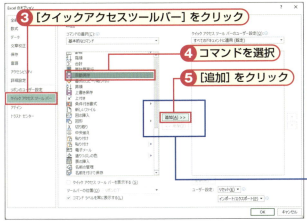

手順3 クイックアクセスツールバーに表示するコマンドを選択する

[クイックアクセスツールバー] をクリックします。コマンドを選択し [追加] をクリックします。

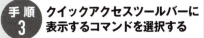

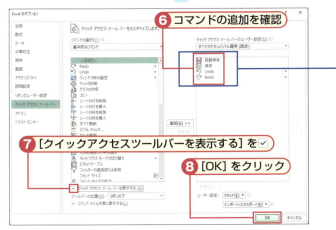

手順4 クイックアクセスツールバーの表示をオンにする

コマンドの追加が完了したら、[クイックアクセスツールバーを表示する] を ✓ して、[OK] をクリックします。

完成 クイックアクセスツールバーが表示された

リボンの下にクイックアクセスツールバーが表示されました。

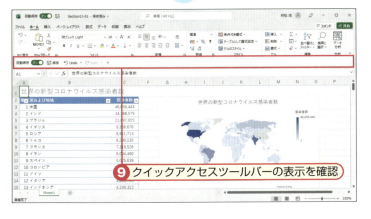

12 自分が使いやすいようにカスタマイズ

SECTION

キーワード ▶ リボン表示設定

109 リボンの表示を カスタマイズ

Excel 2021のリボンをそのまま使っているユーザーが大半だと思いますが、リボンのタブやコマンドは表示/非表示を切り替えられます。ここでは設定結果をわかりやすくするため、[ホーム] 以外のすべてのタブを非表示に設定してみます。

リボンの表示をカスタマイズする

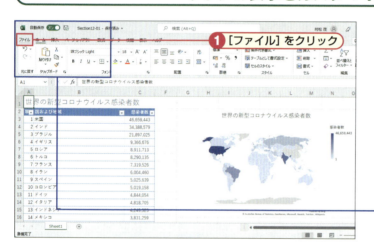

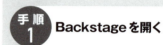

手順1　Backstageを開く

[ファイル] をクリックします。

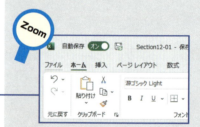

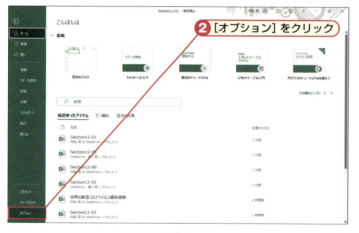

手順2　オプションを開く

[オプション] をクリックします。

メモ　エクスポート/インポートできるユーザー設定

クイックアクセスバーの設定、リボンのユーザー設定などExcelのカスタマイズしたすべての設定はエクスポート/インポートできます。すべてのユーザー設定をエクスポートしておけば、Excelを新規インストールした場合でも、これをインポートして元の設定を復元できます。

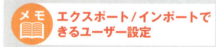

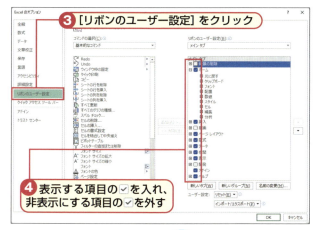

 手順 3　リボンのユーザー設定で表示する項目を選択する

[リボンのユーザー設定] をクリックします。表示する項目の☑を入れ、非表示にする項目の☑を外します。

 手順 4　表示/非表示の変更を確認して有効化する

表示する項目の☑と非表示にする項目の外れた☑を確認 [OK] をクリックします。

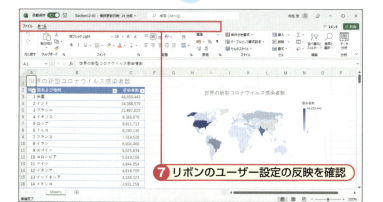

 完成　リボンのユーザー設定の内容が反映された

リボンのユーザー設定の内容が反映されました。

 メモ　エクスポート/インポートできるユーザー設定

クイックアクセスバーの設定、リボンのユーザー設定などExcelのカスタマイズしたすべての設定はエクスポート/インポートできます。すべてのユーザー設定をエクスポートしておけば、Excelを新規インストールした場合でも、これをインポートして元の設定を復元できます。

SECTION キーワード▶オブジェクト

110 Excelに追加できるオブジェクト

Excelには他のWord、PowerPointなど他のアプリのドキュメントをシート上に作成したり、ファイルを挿入したりできます。ここでは一例としてWord文書をリンクオブジェクトとして挿入する手順を示します。リンクすると元ファイルの変更がシートに反映されます。

ファイルをリンクオブジェクトとして挿入する

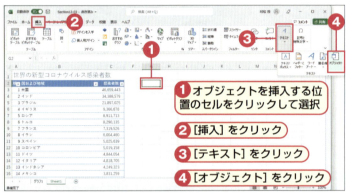

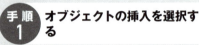 **手順1** オブジェクトの挿入を選択する

オブジェクトを挿入する位置のセルをクリックして選択します。[挿入]をクリックして、[テキスト]をクリックし、[オブジェクト]をクリックします。

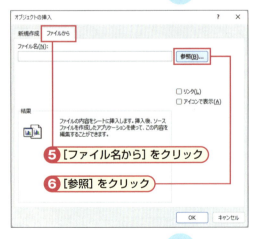

 手順2 ファイルを参照する

[ファイルから]をクリックして、[参照]をクリックします。

 メモ 未完成な日本語表示？

本来、オブジェクトの挿入のタブは[新規作成]と[ファイルから作成]と表示されるはずです。「ファイルから」というタブ名は表示が未完成な気がします。Excelが更新されると、修正されるかもしれません。

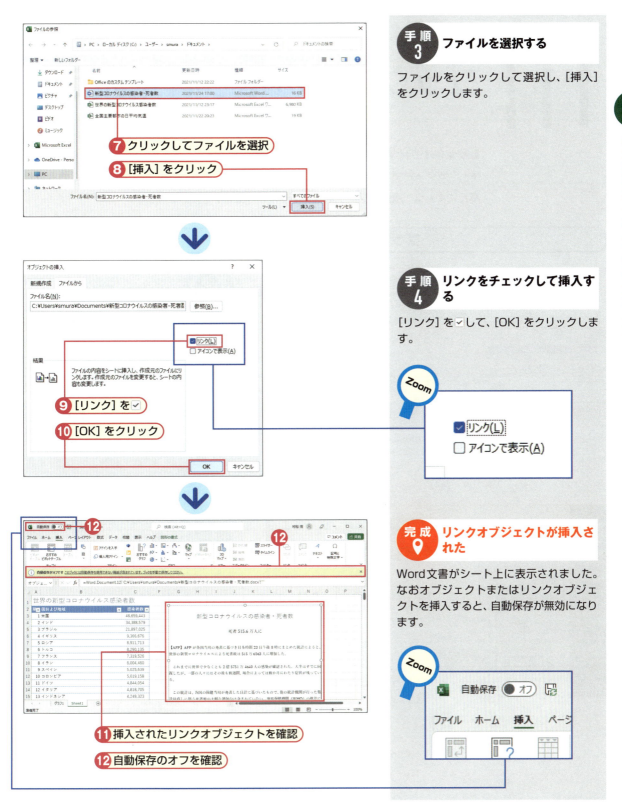

SECTION

キーワード ▶ ブックの読み取り

111 ブックの読み取り専用設定

自動保存は便利な機能ですが、誤ってファイルを上書きしてしまう危険性をはらんでいます。定型フォーマットはテンプレートとして保存するのが本来の使い方ですが、読み取り専用にすれば、通常のブック形式でもうっかり上書きを防げます。

ブックを読み取り専用にする

手順1　Backstageを開く

[ファイル] をクリックします。

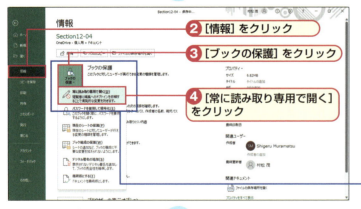

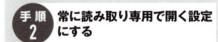

手順2　常に読み取り専用で開く設定にする

[情報] をクリックして、[ブックの保護] をクリックし、[常に読み取り専用で開く] をクリックします。

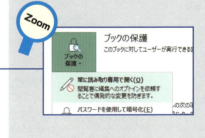

完成 読み取り専用に設定されました

読み取り専用に設定されました。[×]（閉じる）をクリックしていったん閉じます。

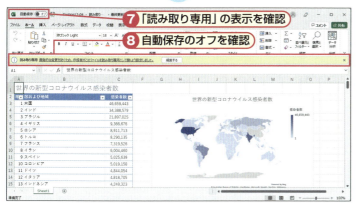

完成 ブックを開きなおすと読み取り専用と表示された

あらためてブックを開きます。「読み取り専用」と表示され、自動保存がオフになりました。作成者は［編集する］をクリックすると、自動保存がオンになりますが、うっかり上書きの防止には役立ちます。Backstageを開いて、［コピーを保存］をする癖をつけましょう。

 他のユーザーの場合

作成者は［編集する］をクリックすると、通常通り編集できます。しかし作成者以外は完全に読み取り専用でしか開けません。作成者以外が読み取り専用ブックを開くと、最初に「読み取り専用で開きますか？」と表示されます。また上書き保存しようとすると、「上書き保存できません」と表示されます。「新しい名前でブックを保存するか、別の場所に保存する必要があります」とはどちらも実質的にはコピーの保存が可能なことを示しています。

▲読み取り専用でしか開けません

▲上書き保存はできません

ローマ字入力かな対応表

日本語をローマ字変換で入力するときに便利な変換対応表です。「ヴぁ」や「ぴぇ」など組み合わせがわからないときなど参照してください。

●五十音

あ A	い I、YI	う U、WHU	え E	お O
か KA、CA	き KI	く KU、CU、QU	け KE	こ KO、CO
さ SA	し SI、SHI	す SU	せ SE、CE	そ SO
た TA	ち TI、CHI	つ TU、TSU	て TE	と TO
な NA	に NI	ぬ NU	ね NE	の NO
は HA	ひ HI	ふ HU、FU	へ HE	ほ HO
ま MA	み MI	む MU	め ME	も MO
や YA		ゆ YU		よ YO
ら RA	り RI	る RU	れ RE	ろ RO
わ WA		を WO		ん NN、XN

●濁音と半濁音

が GA	ぎ GI	ぐ GU	げ GE	ご GO
ざ ZA	じ ZI、JI	ず ZU	ぜ ZE	ぞ ZO
だ DA	ぢ DI	づ DU	で DE	ど DO
ば BA	び BI	ぶ BU	べ BE	ぼ BO
ぱ PA	ぴ PI	ぷ PU	ぺ PE	ぽ PO

● 濁音と半濁音

あ	い	う	え	お
XA、LA	XI、LI、LYI、XYI	XU、LU	XE、LE、LYE、XYE	XO、LO
ゃ		ゅ		ょ
XYA、LYA		XYU、LYU		XYO、LYO
		っ		
		XTU、LTU		
うぁ	うぃ		うぇ	うぉ
WHA	WHI、WI		WHE、WE	WHO
ヴぁ	ヴぃ	ヴ	ヴぇ	ヴぉ
VA	VI	VU	VE	VO
きゃ	きぃ	きゅ	きぇ	きょ
KYA	KYI	KYU	KYE	KYO
ぎゃ	ぎぃ	ぎゅ	ぎぇ	ぎょ
GYA	GYI	GYU	GYE	GYO
しゃ	しぃ	しゅ	しぇ	しょ
SYA、SHA	SYI	SYU、SHU	SYE、SHE	SYO、SHO
じゃ	じぃ	じゅ	じぇ	じょ
ZYA、JYA、JA	ZYI、JYI	ZYU、JYU、JU	ZYE、JYE、JE	ZYO、JO、JYO
ちゃ	ちぃ	ちゅ	ちぇ	ちょ
TYA、CHA、CYA	TYI、CYI	TYU、CHU、CYU	TYE、CHE、CYE	TYO、CHO、CYO
ぢゃ	ぢぃ	ぢゅ	ぢぇ	ぢょ
DYA	DYI	DYU	DYE	DYO
つぁ	つぃ		つぇ	つぉ
TSA	TSI		TSE	TSO
てゃ	てぃ	てゅ	てぇ	てょ
THA	THI	THU	THE	THO
でゃ	でぃ	でゅ	でぇ	でょ
DHA	DHI	DHU	DHE	DHO
にゃ	にぃ	にゅ	にぇ	にょ
NYA	NYI	NYU	NYE	NYO
ひゃ	ひぃ	ひゅ	ひぇ	ひょ
HYA	HYI	HYU	HYE	HYO
びゃ	びぃ	びゅ	びぇ	びょ
BYA	BYI	BYU	BYE	BYO
ぴゃ	ぴぃ	ぴゅ	ぴぇ	ぴょ
PYA	PYI	PYU	PYE	PYO
ふぁ	ふぃ	ふゅ	ふぇ	ふぉ
FWA、FA	FWI、FI、FYI	FWU、FYU	FWE、FE、FYE	FWO、FO
みゃ	みぃ	みゅ	みぇ	みょ
MYA	MYI	MYU	MYE	MYO
りゃ	りぃ	りゅ	りぇ	りょ
RYA	RYI	RYU	RYE	RYO

※ーはキーボードの [ほ] キーから入力します。　※ひらがなの「ヴ」はありません。

手順項目索引

本書で解説している手順を一覧にしました。五十音順になっていますので、やりたい操作が見つけやすくなっており、逆引き事典としても使えます。

●英数字

項目	ページ
Excel 2021のこれが新機能	26
#VALUE!を修正してみようREF!を修正する	137
#VALUE!を修正する	136
&を使って複数のセルを1つにする	126
[Excelのオプション]を開く	48
「表示形式」を表示してみよう	190
AVERAGE関数を使って平均を出す	154
Excel 2021とExcel for Microsoft 365の違い	24
Excel 2021のバージョン情報	24
Excel for Microsoft 365のバージョン情報	24
Excel2021で追加された新しい関数	30
Excelで作れるグラフについて	230
Excelとは？	34
Excelのオプション	48
Excelの画面構成	36
Excelの画面構成を詳しく見る	36
Excelの起動と終了	40
Excelのタスクバーとスタートへのピン留め	38
Excelの表示方法	46
Excelをタスクバーとスタートにピン留めする	38
Excelを閉じる	41
Excelを開く	40
IF関数を使って条件によって別の結果を表示させる	163
LET関数	27
LET関数	30
#NAME?	128
OpenDocument形式（ODF）1.3のサポート	29
PHONTIC関数を使う	159
RANK関数で順位をつける	155
ROUND関数を使って四捨五入する	161
Word/PowerPointとの連携	32
Wordと対照したExcelの特徴	34
XLOOKUP関数を使ってみよう	165
XLOOLUP関数	27
XLOOPUP関数	30
XMATCH関数	27
XMATCH関数	31

●あ行

項目	ページ
アイコンセットを表示させる	222
アクセシビリティのチェック	28
値として数値の書式を保持して貼り付ける	72
値として貼り付ける	71
値として元の書式を保持して貼り付ける	72
アプリウィンドウ上中央部に配置された検索ボックス	29
一定以上の値を自動で目立たせる	216
色がついたセルを含む行を表示する	266
印刷の向きを変更する	310
印刷範囲の設定をクリアする	323
印刷範囲を設定する	322
印刷プレビューを表示する	308
印刷前にやっておくべき設定の基本	308
ウインドウ枠の固定を解除する	251
ウインドウ枠を固定する	250
円グラフの作成	240
オートコレクトを削除する	98
オートコレクトを修正する	97
オートコレクトを使う	94
オートフィルを使って連続データを入力する	102
折れ線グラフの作成	238

●か行

項目	ページ
解除すると逆に便利なオートコンプリート	99
改ページ位置を変更する	316
改ページプレビュー	47
改ページプレビューを表示する	309
各書式で入力したセル	66
掛け算をやってみる	132
かつてはワークシートとグラフシート	289
必ず覚えておきたい基本の関数「SUM」を使う	152
必ず作ろう！備考欄！	243
必ず他と被らないキーとなる列を作る	242
画面の分割方法を覚える	252
画面の分割を元に戻す方法を覚える	253
画面を分割して先頭と末尾を表示	252
カラースケールを表示させる	220
関数の基本	150
関数を検索する	150
簡単一発「西暦〇年〇月〇日」に表示を変更する	196
カンマ区切りのテキストファイルの開き方	248
カンマ区切りのテキストファイルを開く	248
カンマで桁を区切る	192
既存のファイルの開き方	42
既存のファイルを開く	42
基本的なグラフ	232
基本的な要素を入力して表を作る	64
強調したい文字を含むデータに条件付き書式を設定する	212
共同編集	27
行と列を入れ替えて貼り付ける	71
行の高さを自動調整する	65
行または列の非表示/再表示	80
行や列の追加/削除	76
行を削除する	78
行を挿入する	76
行を非表示にする	80
クイックアクセスツールバーをカスタマイズ	326
クイックアクセスツールバーを表示する	326
グラフの修正	234
グラフのみの印刷をする	324
グラフを見やすいように修正する	234
クリップボードを使う	122
グループ化して、必要な列だけ表示する	254
グループ化を解除する	255
計算式がエラーになる場合	136

計算式の基本	126
計算式のコピーでエラーになる理由	142
計算式を普通にコピーしてエラーが出る場合には	139
計算式を普通にコピーする	138
罫線なしで貼り付ける	70
罫線を消す	187
罫線を引いく（ダイアログ編）	185
消しゴムを使って罫線の一部分だけを消す	188
桁区切りカンマのつけ方	192
合計の表示	152
項目名が常に見えるように画面を固定させる	250

●さ行

さらに曜日も自動で表示させる	199
シートビュー	28
シート名を変更する	292
シートを1ページに印刷する	320
シートを移動する	294
シートをコピーする	295
シートを削除する	291
シートを追加する	290
シートを非表示にする	296
四則演算が混じった式をやってみる	134
四則演算の計算式	130
指定した期間の日付を強調させる	214
指定した期間の日付を自動で目立たせる	214
指定した条件に合うデータの判定	163
指定した文字を含むデータを自動で目立たせる	212
指定の値より大きいセルの書式を変更する	216
支店名や商品名を自動入力する	104
氏名にフリガナを振る	159
出力イメージを把握する	309
出力の考え方	308
条件が一致するデータだけを表示する	262
条件付き書式とスパークラインを知る	208
条件付き書式の設定の解除	224
条件付き書式を解除する	224
商品番号に対応する商品名や価格の表示	165
書式設定のみを貼り付ける	73
書式の基本	168
書式のコピーと貼り付け	75
書式や関数をコピーしたくない場合の値の貼り付け方法	203
書式をコピーして別の表を簡単に装飾する	202
数式として数値の書式を保持して貼り付ける	69
数式として貼り付ける	68
数式バーに直打ちで計算式を入力してみる	129
数値の大きさによってアイコンを付ける	222
数値の大きさによって自動で色分けする	220
数値の大きさを表すバーの表示	218
数値の四捨五入	161
数値や日付の入力	60
数値を入力する	60
数値を棒の長さや折れ線で表現させる	226
好きな色で染めてみる	177
図として貼り付ける	74
ストック関数	29
スパークラインを使う	226
絶対参照をしてみる	142
セルに色を付けてみる	174
セルに上書きして修正する	62
セルにコメントを追加する	86
セルに設定したい条件と書式を設定します	210
セルの値の一部を修正する	63
セルの切り取り/コピーと貼り付け	66
セルの結合を解除する	183
セルのコピーはドラッグ操作でやる	100
セルのコメントを表示する	87
セルの書式設定の表示方法	168
セルの選択	52
セルの内容で自動的に書式を設定させる	210
セルは単独計算でもできるマジックボックス	35
セル範囲をテーブルに変換する	271
セル番地からセルを選択する	54
セルを切り取る	66
セルを結合してまとめる	182
セルを結合してまとめる	182
セルをコピーする	67
セルを削除する	85
セルを挿入する	84
セルを貼り付ける	68
センスのいい見やすい表はどう配色してらいいか	179
操作を元に戻す	90
操作を元に戻す・やり直す	90
操作をやり直す	91

●た行

タイトル行/列を設定する	318
足し算をやってみる	130
単純にコピーして貼り付ける	32
データがグラフの要素になることを理解する	230
データの修正	62
データの入っているシートにグラフを挿入する	232
データバーを表示させる	218
データを区別する機能	208
データを検索する	88
データを降順昇順で並び替える	256
データを絞り込む	263
データを集計するさまざまな機能	268
データを置換する	89
データを抽出する	274
データを並び替える	273
テーブルスタイルを見直す	275
テーブルとして書式設定する	243
テーブルとは？	268
テーブルに集計行を追加する	277
テーブルの解除方法も知っておく	245
テーブルのデータ並び替え・抽出	273
テーブルのデータの集計	277
テーブルの表示方法の変更	275
テーマを選ぶ時の注意点とその対処方法	171
テーマを選んでみる	170
できれば氏名は苗字と名前で分ける	242
動的な配列を可能にする6つの関数	27
特定の文字を持つデータを抽出する	265
ドロップダウンリストを追加する	120
ドロップダウンリストを作ってデータを素早く入力する	116

●な行

名前を付けてファイルを保存する	44
並び替えの優先順位を入れ替える	259
並び替えの優先順位を指定する	257

入力規則のメッセージをオリジナルにしてみる …………… 114
入力規則のリストを使って、データを素早く正確に入力する 116
入力規則を解除する ………………………………………… 114
入力規則を使って入力を制限する ………………………… 112
入力時のルールを決めておくと便利 ……………………… 112
入力方法をパターン化して自動入力する ………………… 110
入力を効率化する機能を使う ……………………………… 94

●は行

配色だけを変更する ………………………………………… 172
パスワード保護されたブックを開く ……………………… 305
パスワード保護を解除する ………………………………… 306
貼り付けには他にもさまざまな種類 ……………………… 205
引き算をやってみる ………………………………………… 131
日付の表示方法を変更する ………………………………… 196
日付や曜日の連続データの自動入力 ……………………… 102
日付を元号で表示するよう変更する ……………………… 197
日付を入力する ……………………………………………… 61
必要ない行を隠して集計列のみ表示させる ……………… 254
非表示の行を再表示する …………………………………… 82
非表示のシートを再表示する ……………………………… 297
非表示の列を再表示する …………………………………… 83
ピボットグラフとは？ ……………………………………… 270
ピボットグラフを作成する ………………………………… 285
ピボットテーブルとは？ …………………………………… 269
ピボットテーブルの集計期間の設定 ……………………… 283
ピボットテーブルの集計方法の変更 ……………………… 281
ピボットテーブルを作成する ……………………………… 279
表示形式の種類 ……………………………………………… 191
表示形式を使ってより細かな桁区切り設定をする ……… 193
標準ビュー …………………………………………………… 46
表タイトルのスタイルを変更する ………………………… 56
表タイトルの入力 …………………………………………… 56
表タイトルのフォントサイズを拡大する ………………… 58
表タイトルのフォントの色を変更する …………………… 58
表タイトルのフォントを変更する ………………………… 59
表タイトルを太字にする …………………………………… 57
表に合わせて、中央寄せをしてみる ……………………… 180
表に罫線を引く（ボタン編） ……………………………… 184
表に罫線を引く方法 ………………………………………… 184
表のタイトル行/列を全ページに印刷 …………………… 318
表のテーブルへの変換 ……………………………………… 271
表を作成する手順 …………………………………………… 50
ファイルの保存 ……………………………………………… 44
ファイルをリンクオブジェクトとして挿入する ………… 330
フィールドの入れ替え ……………………………………… 282
フィールドを追加する ……………………………………… 281
フィルターの解除 …………………………………………… 266
フィルターの設定を解除する ……………………………… 264
フィルターを設定する ……………………………………… 262
フィルハンドルでコピーする ……………………………… 100
フィルハンドルをダブルクリックする …………………… 101
フォントだけを変更してみる ……………………………… 173
複合参照を使ってみる ……………………………………… 145
複数データをコピーしておくと便利 ……………………… 122
複数のシートの同じ番地のセルをまとめて編集する …… 300
複数のシートの並列表示 …………………………………… 298
複数のシートを同時に再表示 ……………………………… 28
複数のシートをまとめて編集 ……………………………… 300
複数のセルを選択する ……………………………………… 55
複数のブックの切り替え …………………………………… 301

複数のブックを並べて表示する …………………………… 302
ブックとシートの基本 ……………………………………… 288
ブックとワークシートの関係 ……………………………… 288
ブックのアクティブウィンドウを切り替える …………… 301
ブックはExcel標準のファイル形式………………………… 288
ブックは複数のシートを格納できる ……………………… 289
ブックをパスワード保護する ……………………………… 303
ブックを読み取り専用にする ……………………………… 332
フラッシュフィルを使って氏名を1つのセルに入力する … 110
フリガナを修正してみる …………………………………… 160
平均の表示 …………………………………………………… 154
ページレイアウトビューを表示する ……………………… 309
ヘッダー/フッターを設定する …………………………… 314
棒グラフの作成 ……………………………………………… 236
他のセルのデータを参照し表示させる …………………… 128
本来のバージョン番号とビルド番号 ………………………25

●ま行

マウスでセルを選択する ……………………………………54
右寄せをしてみる …………………………………………… 181
文字の色を変えてみる ……………………………………… 175
文字のフォントを変更してみる …………………………… 177
文字配置の整え方
文字やセルに飾りを表示させる …………………………… 174
文字を太字にしてみる ……………………………………… 176
元の書式を保持して貼り付ける ……………………………69
元の列幅を保持して貼り付ける ……………………………70
元々あったデータを使ってリストを作成する …………… 107
元々あるリストを、ドロップダウンリストにする……… 117

●や・ら・わ行

ユーザー設定のリストを使用する ………………………… 260
用紙サイズを変更する ……………………………………… 311
横に長いデータよりも縦に長いデータのほうが見やすい … 243
余白を変更する ……………………………………………… 312
余白をユーザー設定する …………………………………… 313
リストを作ってデータを整理させる ……………………… 242
リボンの表示をカスタマイズする ………………………… 328
リンクオブジェクトとして貼り付ける ……………………32
リンクされた図として貼り付ける …………………………74
リンクとして貼り付ける ……………………………………73
隣接するセルを選択する ……………………………………52
列の幅や行の高さの調整 ……………………………………64
列の幅を自動調整する ………………………………………64
列を削除する …………………………………………………79
列を挿入する …………………………………………………77
列を非表示にする ……………………………………………81
レベルの削除をしてみる …………………………………… 261
連続データにマイルールを登録する ……………………… 104
連続データをせずコピーする場合 ………………………… 103
ワークシートに変更を加える ………………………………90
割り算をやってみる ………………………………………… 133

用語索引

●アルファベット

AVEREGE関数	146
Backstage	40,44
Excel	24,34
Excel for Microsoft 365	25
IF関数	155
LET関数	27,30
ODF	29
OpenDocument形式	29
OverDrive	44
PHONTIC関数	151
PowerPoint	32
RANDARRAY関数	31
RANK関数	147
ROUND関数	153
SEQUENCE関数	31
SORTBY関数	31
SORT関数	31
SUM	144
UNIUQUE関数	31
Word	32
XLOOKUP関数	27,30,157
XMATCH関数	27,31

●記号・数字

#REF!	137
#VALUE!	136
=	128
1ページに印刷	320

●あ行

アイコンセット	222
アクセシビリティチェック	28
アクティブセル	37,52
値	71
印刷	308
印刷の向き	310
印刷範囲の設定	322
印刷プレビュー	308
インポート	328
エクスポート	328
エラー	136,149
円グラフ	240
オートSUM	146
オートコレクト	94,97
オートコンプリート	99
オートフィル	102
オブジェクト	330
オプション	48,94,102,328
折れ線グラフ	268

●か行

改ページ位置の調整	316
改ページプレビュー	47,309
掛け算	132
カスタマイズ	326
画面の分割	240
カラースケール	220
関数	142
カンマ	180
既存のファイル	42
起動	40
共同編集	27
行と列を入れ替え	71
行の高さを自動調整する	65
行番号	37
クイックアクセスバー	326
クイック分析ツール	228
グラフ	230,232,234
グラフシート	289
グラフの印刷	324
クリップボード	122
グループ化	242

計算式	126,138
罫線	70,172
消しゴム	176
桁区切り	180
結合	170
元号	184
検索	88
検索ボックス	29
合計	144
降順昇順	244
コメント	86

●さ行

最近使ったアイテム	42
再実行	92
削除	78,85
左右に分割	241
左右方向のシフト	85
シートの移動	294
シートのコピー	295
シートの再表示	297
シートの削除	291
シートの追加	290
シートの非表示	296
シートビュー	28
シート見出し	37,293
シート名	292
四捨五入	153
四則演算	130
自動保存	45,306
集計	268
集計期間	283
集計行	277
終了	40
主項目	51
条件	155,249
条件付き書式	208,210,212,214,216,218,220,222,224
条件付き書式ルール	210
ショートカットメニュー	293
書式	69,69,72,72,73,75,156,190

図	74
数式	68
数式バー	36,136
数値入力	60
ズームスライダー	37
スクロールバー	37
スタート	38
スタートウインドウ	40
ステータスバー	37
ストック画像	29
スパークライン	208,226
西暦	184
絶対参照	142
セル	35,37,52
セルに飾り	162
セルの強調表示ルール	216
セルの切り取り	66
セルのコピー	100
セル番地	54
セルをコピーする	66
セルを貼り付ける	68
操作を元に戻す	90
操作をやり直す	91
挿入	76,77,84
挿入オプション	77

●た行

タイトル行／列	318
タイトルバー	36
足し算	130
タスクバー	38
置換	89
中央寄せ	168
抽出	274
通貨	183
データの修正	62
データバー	218
テーブル	268,271
テーブルスタイル	275
テーマ	158

| ドロップダウンリスト | 116 |

●な行

名前ボックス	36
名前を付けて保存	44
並び替え	244,273
入力規則	112

●は行

配色	160
パスワード保護	303
引き算	131
非再表示する	82
日付	184,214
日付入力	61
非表示	80
ピボットグラフ	270,285
ピボットテーブル	268,279,281
表	50,168
表示切り替えボタン	37
表示形式	178
表示タブ	47
標準ビュー	46
表タイトル	56
ピン留め	38
フィルター	249
フィルハンドル	100
フォント	161
複合参照	145
副項目	51
複数のシート	298
複数のブック	301
ブック	288
ブックの保存	44
ブックを開く	42
フッターの設定	314
フラッシュフィル	110
フリガナ	151
平均	146
並列表示	302
ページレイアウトビュー	46,309
ヘッダーの設定	314
棒グラフ	236

●ま行

| 右寄せ | 169 |
| 文字列 | 212 |

●や行

やり直し	92
ユーザーインターフェース	26
ユーザー設定リスト	103,248
用紙サイズ	311
曜日	187
余白の調整	312
読み取り専用	332

●ら行

リボン	36,328
リンク	73
ルールの管理	218,220,222,224
ルールのクリア	224
列の幅を自動調整する	64
列幅	70
列番号	36
連続データ	102

●わ行

| ワークシート | 37,288 |
| 割り算 | 133 |

■本書で使用しているパソコンについて
本書は、インターネットやメールを使うことができるパソコンを想定し手順解説をしています。使用している画面やプログラムの内容は、各メーカーの仕様により一部異なる場合があります。各パソコンの固有の機能については、パソコン付属の取扱説明書をご参考ください。

■本書の編集にあたり、下記のソフトウェアを使用しました
・Excel2021／Microsoft 365／Microsoft Windows11 パソコンの設定によっては同じ操作をしても画面イメージが異なる場合があります。しかし、機能や操作に相違はありませんので問題なくお読みいただけます。

■注意
(1) 本書は著者が独自に調査した結果を出版したものです。
(2) 本書は内容について万全を期して作成いたしましたが、万一、ご不備な点や誤り、記載漏れなどお気付きの点がありましたら、出版元まで書面にてご連絡ください。
(3) 本書の内容に関して運用した結果の影響については、上記(2)項にかかわらず責任を負いかねます。あらかじめご了承ください。
(4) 本書の全部、または一部について、出版元から文書による許諾を得ずに複製することは禁じられています。
(5) 本書で掲載されているサンプル画面は、手順解説することを主目的としたものです。よって、サンプル画面の内容は、編集部で作成したものであり、全て架空のものでありフィクションです。よって、実在する団体・個人および名称とはなんら関係がありません。
(6) 本書の無料特典はご購入者に向けたサービスのため、図書館などの貸し出しサービスをご利用されている場合は、無料の電子書籍や問い合わせはご利用いただけません。
(7) 本書籍の記載内容に関するお問い合わせやご質問などは、秀和システムサービスセンターにて受け付けておりますが、本書の奥付に記載された初版発行日から2年を経過した場合または掲載した製品やサービスの提供会社がサポートを終了した場合は、お答えいたしかねますので、予めご了承ください。
(8) 商標
　Excel、Microsoft Office、Microsoft Surface、Skype、Microsoft、Windows、Windows11、10、8.1、8、7は米国Microsoft Corporationの米国およびその他の国における登録商標または商標です。
　その他、CPU、ソフト名、企業名、サービス名は一般に各メーカー・企業の商標または登録商標です。
　なお、本文中ではTMおよび®マークは明記していません。
　書籍の中では通称またはその他の名称で表記していることがあります。ご了承ください。

著者紹介 (順不同)

村松 茂(むらまつ　しげる)

海外旅行業界誌の編集記者としてキャリアをスタート。後にコンピューター系出版社に移籍して、企業系コンピューターネットワーク雑誌、PC組み立て雑誌、オーディオビジュアル雑誌の編集を担当する。現在はフリーランス編集記者として、コンピューター、ネットワークを中心に執筆活動している。

田中綾子(たなか　あやこ)

パソコン講師。2000年より自治体のIT講習会、地域のパソコン教室などで指導。2021年よりオンライン専門の「パソっとティーチャー」として、教室講師や起業家に特化したITサポートも行う。

石塚亜紀子(いしづか　あきこ)

独学でMOSマスターを取得。一部上場企業や国の研究機関にてOfficeの講師を行う。現在は国の研究機関に勤めながら、フリーの講師として地元企業を中心に活動中。趣味は居合。

■デザイン　金子　中

■協力　株式会社Jディスカヴァー

はじめてのExcel2021

| 発行日 | 2022年 2月 5日 | 第1版第1刷 |

著　者　村松　茂
　　　　田中　綾子
　　　　石塚　亜紀子

発行者　斉藤　和邦
発行所　株式会社　秀和システム
　　　　〒135-0016
　　　　東京都江東区東陽2-4-2　新宮ビル2F
　　　　Tel 03-6264-3105（販売）Fax 03-6264-3094
印刷所　図書印刷株式会社　　　　　　Printed in Japan
ISBN978-4-7980-6661-5 C3055

定価はカバーに表示してあります。
乱丁本・落丁本はお取りかえいたします。
本書に関するご質問については、ご質問の内容と住所、氏名、電話番号を明記のうえ、当社編集部宛FAXまたは書面にてお送りください。お電話によるご質問は受け付けておりませんのであらかじめご了承ください。